Pendo

Aug. 09

Für Stefan's
stimmigen Weg
zur Selbst-
verwirklichung

S.F. [illegible]

Zu diesem Buch:
Die mehrfach ausgezeichnete Führungskräfte-Trainerin Susanne F. Gopalan stellt Ihnen in diesem Arbeitsbuch ihre ganz persönliche Erfolgsstrategie vor. In sieben Kapiteln zeigt Ihnen die Autorin, wie Sie mit vielen praktischen Übungen durch Selbsterkenntnis Ihr Selbstwertgefühl, Ihre Selbstverantwortung, Ihr Selbstvertrauen, Ihre Selbstmotivation und Ihre Selbstliebe aufbauen. Schritt für Schritt führt Sie Susanne F. Gopalan so zu Ihrem ganz persönlichen Ziel der Selbstverwirklichung.

Die Gopalan-Strategie gibt Ihnen die Kompetenz, Ihr Leben nach eigenen Wünschen zu gestalten – damit es zum lockenden Abenteuer wird!

Vor der Selbstverwirklichung steht die Selbsterkenntnis – mit zahlreichen Übungen für Ihr persönliches Training.

Die Deutsch-Inderin **Susanne F. Gopalan**, geboren 1965 in Schwäbisch Gmünd, studierte Betriebswirtschaft, Marketing, Kommunikation und Rhetorik in Pforzheim und an der San Francisco State University. Seit 1993 ist Susanne F. Gopalan selbständige Trainerin und Führungskräfte-Coach. Sie arbeitet u.a. als »Coaching und Training Spezialist« für McKinsey & Company, Coca Cola, DaimlerChrysler, Novartis und Ritter Sport. Sie führt interkulturelle Teamtrainings durch und bietet offene Seminare zur Persönlichkeitsentwicklung an. Susanne F. Gopalan ist verheiratet und hat eine Tochter.
www.gopalan.de

Daniel Oliver Bachmann, geboren 1965 in Schramberg/ Schwarzwald, studierte Volks- und Betriebswirtschaft sowie Film und war erfolgreicher Creative Director in internationalen Werbeagenturen. Seit 2000 arbeitet er als freier Schriftsteller und Drehbuchautor und dreht Dokumentarfilme auf der ganzen Welt.
www.danieloliverbachmann.de

Susanne F. Gopalan
unter Mitarbeit von Daniel Oliver Bachmann

Die Gopalan-Strategie

Von der Selbsterkenntnis
zur Selbstverwirklichung

Pendo München und Zürich

Inhalt

VORWORT

Sie wollen mehr aus Ihrem Leben machen? Hier erfahren Sie, wie es geht.

Ab heute wird alles anders! Wie oft in Ihrem Leben haben Sie sich etwas vorgenommen und es dann nicht durchgehalten? So geht es den meisten Menschen, und man muss kein Prophet sein, um die Konsequenzen nichtkonsequenten Verhaltens vorherzusagen: Ärger. Unzufriedenheit. Und manchmal am Ende ein Burn-out.

Seit meinem ersten Seminar vor 15 Jahren sind Tausende von Teilnehmern mit immer wieder ähnlichen Problemen auf mich zugekommen. Es spielte keine große Rolle, worum es konkret ging: Um die Beratung von Führungskräften. Veränderungsprozesse oder Visionskonferenzen. Karriere-Coaching oder Persönlichkeitsentwicklung. Stressmanagement oder Konfliktmoderation. Immer wieder beschäftigten sich meine Seminar-Teilnehmer mit folgenden Fragen:

Wie finde ich heraus, was ich wirklich will?
Wie entscheide ich mich richtig?
Wie bleibe ich bei meinen Entscheidungen?
Wie verwirkliche ich mich selbst?

Meine Antworten darauf waren immer einfach, aber niemals leicht. Denn Sicherheit finden wir nur, wenn wir innerlich sicher sind. Und innerlich sicher sind wir nur, wenn wir uns selbst kennen.

Darum geht es also: sich selbst kennen zu lernen. Dieser Prozess begleitet uns das ganze Leben. Und ist dabei ständigen Störfeuern unterworfen. Manchmal erscheint es uns, als seien Kräfte am Werk, die nur verhindern wollen, dass wir uns selbst besser kennen lernen. Wir merken, der Weg zu uns selbst ist voller Steine und Hindernisse. Doch überwinden wir sie, heben wir zu ungeahnten Höhenflügen ab.

Dazu möchte ich Sie einladen. Mit Hilfe dieses Buches nähern Sie sich Schritt für Schritt Ihrer Selbstverwirklichung. Ich garantiere Ihnen dabei viel Spaß, viel Staunen, viele neue Erfahrungen und Erkenntnisse – und eine ganze Menge Höhenflüge!

Susanne F. Gopalan

Wie Sie dieses Buch am besten nutzen

Ich gratuliere Ihnen zum ersten Schritt in ein neues Leben.
Und das erwartet Sie auf Ihrem Weg dorthin:

1. Selbsterkenntnis
2. Selbstwertgefühl
3. Selbstverantwortung
4. Selbstvertrauen
5. Selbstmotivation
6. Selbstliebe
7. Selbstverwirklichung

Ich empfehle Ihnen, dieses Buch in sieben Einheiten durchzuarbeiten. Nehmen Sie sich also Kapitel für Kapitel einzeln vor. Sie werden viel in sich hinein spüren. Sie werden viel beobachten. Sie werden viel ausprobieren. Sie werden viel aufschreiben. Kurz gesagt: Sie werden viel trainieren.

Für das erste Kapitel *Selbsterkenntnis* sollten Sie eine Woche einplanen. Auch die beiden Kapitel *Selbstwertge-*

fühl und *Selbstverantwortung* benötigen ungefähr diese Zeit. Für das vierte Kapitel *Selbstvertrauen* gönnen Sie sich am besten zwei Wochen. Für das Kapitel *Selbstmotivation* empfehle ich eine Woche, für das Kapitel *Selbstliebe* drei Wochen, und für das Kapitel *Selbstverwirklichung* zwei Wochen.

Idealerweise legen Sie sich ein Schreibjournal an, in dem Sie die Ergebnisse der Übungen aufzeichnen. Auch Ihre Gefühle können darin Platz finden. Viele meiner Seminar-Teilnehmer tragen Bilder oder Grafiken in ihr Schreibjournal ein. Das geht natürlich auch in einer Datei, falls Sie lieber mit dem Computer arbeiten. Wie immer Sie sich entscheiden, das Aufschreiben der Ergebnisse ist ein Arbeitsprozess, der Sie in jedem Fall weiter bringen wird.

Kapitel 1
SELBSTERKENNTNIS

Sie sind dem Ruf des Abenteuers gefolgt. Ist das nicht auch schon eine Erkenntnis?

Selbsterkenntnis – erkenne dich selbst. Das ist im Alltag meist gar nicht so einfach. Wie es uns wirklich geht, scheint weniger wichtig als das bloße Funktionieren, das Erbringen unserer Leistung. Dabei kommt es uns manchmal vor, dass andere uns besser kennen als wir selbst. Unsere Partner. Unsere Kollegen. Unsere Vorgesetzten. »Big Brother is watching us«, und anscheinend macht er das intensiver, als wir uns selbst beobachten. Wann zum Beispiel haben Sie sich das letzte Mal im Spiegel angesehen? Nicht die fünf Minuten am Morgen, sondern lange und intensiv, Quadratzentimeter für Quadratzentimeter? Dürfen wir nicht, sollen wir nicht, das ist Narzissmus? Nun, dieser alte Zopf wird als erster abgeschnitten: Denn wer sich selbst erkennen will, muss sich auch selbst betrachten. Innerlich wie äußerlich. Und mit dem Äußerlichen fangen wir an.

Übung 1: Mein Ich im Spiegel

Nehmen Sie einen Handspiegel und betrachten Sie Ihr Gesicht. Das sind Sie. Das sind Sie, wie andere Sie sehen. Ja, schauen Sie genau hin. Lachen Sie, wenn Ihnen danach ist, weinen Sie, wenn Sie möchten, strecken Sie die Zunge heraus oder pfeifen Sie ein Liedchen. Sie dürfen tun, was Sie wollen. Schließlich sind Sie unter sich, nicht wahr? Den Menschen, den Sie im Spiegel sehen, sollten Sie besser kennen als irgend jemand anderen.

Sich erkennen schafft Erkenntnis

In dem Moment, in dem Sie wichtige persönliche Eigenschaften selbst erkennen, haben Sie die erste Hürde genommen. Häufiger ist das einfacher gesagt als getan. Schließlich haben wir alle den berühmten Tunnelblick, der uns hindert, Situationen in ihrer Gesamtheit zu überschauen. Wann immer Seminar-Teilnehmer ihren Tunnelblick durchbrechen, fallen Aussagen wie: »Natürlich! Wie konnte ich das nicht sehen?«. Die Antwort ist: »Sie konnten das nicht sehen, weil eine neue Sichtweise Veränderung fordert. Und vor Veränderungen haben wir alle Angst. Angst verhindert aber den Blick über den Tellerrand.« Um uns selbst zu erkennen, müssen wir also zunächst unsere Angst überwinden. Unseren inneren Schweinehund. Kreativ sein anstatt reaktiv. Uns selbstbestimmen anstatt uns fremdbestimmen zu lassen. Und wir sollten damit anfangen. Jetzt.

Ängste, Festhalten und Blockaden

Angst ist ein negativ besetztes Wort. Dabei ist instinktive Angst ein guter Schutz vor unüberlegtem Handeln. Das hat die Natur so eingerichtet, und sie hat gut daran getan. Weil wir aber in unserer modernen Gesellschaft verlernt haben, unseren Intuitionen zu folgen, verselbstständigen sich diese Angstgefühle. Mit der Folge, dass viele unserer Ängste zur selbsterfüllenden Prophezeiung werden: Dass das Butterbrot immer auf die Butterseite fällt, darüber können wir noch schmunzeln. Darüber, dass die Ampel immer rot ist, wenn wir keine Zeit haben, schon weniger. Die selbsterfüllende Prophezeiung ›das kann nichts werden‹ begleitet uns täglich.

Je mehr Sie sich mit Ihren Ängsten befassen, um so mehr erfahren Sie über sich selbst. Unsere Ängste führen dazu, dass wir an Glaubenssystemen, Dogmen und vorgefassten Urteilen festhalten. Und damit beispielsweise an einer verhassten Arbeitsstelle, an einem Menschen, mit dem es keine Zukunft gibt, an einem Ort, von dem wir schon lange weg wollen. Wir glauben, dieses Festhalten gibt uns Sicherheit, Identität und Orientierung. Stattdessen blockiert Festhalten unsere Entwicklung.

Übung 2: Meine Ängste

Erstellen Sie eine Liste aller Ihrer Ängste. Denken Sie daran: Sie sind unter sich! Seien Sie also ganz offen und ehrlich. Schließlich geht es um Ihre Selbsterkenntnis. Erfolgsorientierte Menschen weichen einer Prüfung nicht aus, sondern begrüßen sie. Alles, was auf dieser Liste steht, geht nur Sie etwas an. Sorgen Sie aber wirklich dafür, dass alle Ihre Ängste auf der Liste stehen.

Übung 3: Die Veränderung meiner Ängste

Das Wort Angst kommt vom lateinischen Angus und bedeutet: Enge. Das ist ein gutes Sinnbild dafür, was Angst bei uns bewirkt: Sie engt uns ein. Manchmal zu unserem Schutz. Häufig aber auch nicht. Manche unserer Ängste entsprechen unseren charakterlichen Ausprägungen: Bei individualistischen Menschen entstehen Ängste vor Einsamkeit und Isolation. Bei vertrauenden Menschen Ängste vor zu viel Hingabe. Bei auf Stabilität und Dauer ausgerichteten Menschen Ängste vor Neuem. Bei Menschen, die auf Wandel ausgerichtet sind, Ängste vor Einengung und Gewohnheiten. Es gilt also, auf dem Weg zur Selbsterkenntnis unsere Ängste zu lokalisieren. Nehmen Sie Ihre Liste zur Hand und schauen Sie sie genau an. Welche Ängste geben Ihnen das Gefühl, sie behindern Sie am Weiterkommen? Bei welchen Ängsten würden Sie eine Veränderung begrüßen? Bei welchen Ängsten können Sie sich ein persönliches Ziel setzen? Formulieren Sie dieses Ziel so exakt wie möglich und setzen Sie sich immer wieder mit ihm auseinander. Dann wird auch Ihr Unterbewusstsein an der Auflösung Ihrer Ängste mitwirken. Wichtig ist, dass Sie die Ergebnisse, zu denen Sie gelangen, in Ihrem Schreibjournal oder Ihrer Datei festhalten.

Wenn Sie einige Kapitel des Buches durchgearbeitet haben, werden Sie feststellen, wie sich Ihre Ängste nach und nach auflösen.

Nachdem Sie nun Ihre Ängste besser kennen gelernt haben, ist es an der Zeit, sich mit Ihren Stärken und Schwächen zu beschäftigen. Vergessen Sie nicht, wir brauchen beides, um ein vollständiger Charakter zu sein. Ein Mensch, der nur aus Stärken besteht – Superman oder Superwoman – ist nicht liebenswert. Häufig bewundern wir an unseren Partnern und Mitmenschen die kleinen Schwächen mehr als die großen Stärken. Vergessen Sie nicht, dass im Umkehrschluss diese Partner und Mitmenschen auch Ihre kleinen Schwächen lieben. Konzentrieren Sie sich also bei der folgenden Übung auf Ihre großen Schwächen. Das sind diejenigen, von denen Sie glauben, dass sie Sie in Ihrem Fortkommen hemmen. Vielleicht sind sie mit Ihren Ängsten verwandt. Vielleicht entdecken Sie aber auch noch etwas völlig Neues.

Dasselbe gilt für Ihre Stärken. Für manche Menschen ist die Schwächen-Analyse einfacher als die Stärken-Analyse. Wir sind es nicht gewohnt, unsere Sonnenseiten herauszukehren. Aber hier dürfen Sie es: Lassen Sie Ihre Stärken zu! Scheuen Sie sich nicht, sie zu benennen. Selbst wenn Ihnen eine innere Stimme einflüstert: Das ist doch keine echte Stärke. Für Sie persönlich schon. Und hier geht es nur um Sie!

Übung 4: Meine Stärken, meine Schwächen

Ein Stärken-Schwächen-Profil hilft Ihnen, sich als vollständigen Charakter zu erkennen. Nehmen Sie sich genügend Zeit dafür – wenn es sein muss, auch mehrere Tage. Denn es ist nicht einfach, seine eigenen Stärken und Schwächen in Worte zu fassen. Wenn Sie wollen, können Sie auch Ihren Partner oder andere Menschen, denen Sie vertrauen, dazu befragen. Doch verlassen Sie sich nicht nur auf das Fremdurteil. Auf dem Weg zur Selbsterkenntnis ist Ihre eigene Erkenntnis am wichtigsten.

Eines der Merkmale unserer westlichen Gesellschaft ist, vieles mit Verstand und Logik auszudrücken. In Indien beispielsweise, wo ein Teil meiner Familie lebt, ist es genau anders herum: Emotion und Intuition stehen dort an erster Stelle. Auf dem Weg zur Selbsterkenntnis sind beide Bereiche wichtig. Mit der Balance-Analyse können Sie ganz leicht Ihre Gefühle sprechen lassen.

Übung 5: Ihre Balance-Analyse

In dieser Übung geht es um eine Bewertung Ihrer Gefühle. Das Schaubild hilft Ihnen dabei herauszufinden, wie Sie sich zur Zeit in sieben wichtigen Lebensbereichen fühlen. Geben Sie rein nach dem Gefühl zwischen 0 und 10 Punkte (0 für unzufrieden, 10 für sehr zufrieden) – und machen Sie dieselbe Übung einige Minuten später noch einmal.

Wie zufrieden bin ich momentan in Bezug auf

1. meine Leistung 0 – 10
2. meine Gesundheit 0 – 10
3. mein geistiges Potenzial 0 – 10
4. mein Sein 0 – 10
5. meine Überzeugungskraft 0 – 10
6. meine Beziehung 0 – 10
7. meine Flexibilität 0 – 10

Haben Sie sich nun beispielsweise bei »meine Leistung« im Durchschnitt 6 Punkte gegeben, stellen Sie sich bitte folgende Fragen: Was können Sie spontan ändern, um Ihre Leistung zu steigern? Oder was müssen Sie zur Zeit einfach akzeptieren, weil Sie zum Beispiel aufgrund einer Krankheit Ihre Leistung nicht steigern können? Bewerten Sie auf diese Weise die ganze Liste.

Auf dem Weg zur Selbstverwirklichung werden Sie feststellen, dass Sie es mit einem energetischen Prozess zu tun haben. Mit jedem Baustein, den Sie hinzufügen, werden Sie ein ›Mehr‹ an Energie gewinnen. Dass Ihre Ängste zu den größten Energie-Räubern gehören, wissen Sie bereits. Erinnern wir uns daran, wie wir als Kinder im Schwimmbad das erste Mal auf dem Drei-Meter-Sprungbrett standen, angetrieben von auffordernden Rufen »spring, das ist doch gar nicht tief!«, und einige von uns lieber umkehrten – dieses Umkehren hat uns nicht gerade beflügelt. Doch auf dem Sprungbrett handelten die meisten von uns auch nicht selbstbestimmt, sondern fremdbestimmt. So ist es immer wieder im Leben: Die nächste Prüfung, die bevorstehende Präsentation, das Gespräch um die Gehaltserhöhung – sie schnüren uns die Kehle zu (wir bekommen weniger Sauerstoff und damit weniger Energie), wir bekommen weiche Knie (und benötigen mehr Energie für unsere Standfestigkeit, die uns dann woanders fehlt), wir schlafen schlecht und wachen morgens ›wie gerädert‹ und energielos auf. Machen Sie sich deshalb auf die Suche nach Ihren Energie-Räubern.

Übung 6: Meine Energie-Räuber

Erstellen Sie eine Liste Ihrer Energie-Räuber. Welche Ihrer Ängste rauben Ihnen am meisten Energie? Welche Menschen, welche Verhaltensweisen dieser Menschen, welche Ereignisse in Ihrer Umgebung oder auf der ganzen Welt? Listen Sie alles auf, und vergessen Sie nichts!

Fertig? Prima! Vermutlich findet sich auf dieser Liste auch ein oder mehrere Namen von Menschen, mit denen Sie häufiger zu tun haben – und die trotzdem zu Ihren größten Energie-Räubern gehören. Das Prinzip *Love it, Change it, Leave it* wird Ihnen in den meisten Fällen helfen, Energie-Räuber loszuwerden. Es funktioniert so: Wann immer wir Entscheidungen zu treffen haben, gibt es drei Wahlmöglichkeiten. *Love it* bedeutet, wir akzeptieren die Situation wie sie ist, ohne Wenn und Aber. *Change it* bedeutet, wir verändern, was wir selbst verändern können, nicht was andere verändern könnten. Hier geht es darum auszuloten, was liegt in Ihrem Einflussbereich und was nicht.

Ihr *Change it* kann auch zu einem *Change it* Ihres Energie-Räubers führen, ganz nach dem Motto: So wie Sie in den Wald hineinrufen, schallt es heraus. Falls *Love it* und *Change it* nicht möglich sind, verlassen Sie die Person oder das Thema: *Leave it!* Wichtig ist, dass sie das auch emotional tun. Viele Menschen glauben, sie hätten mit etwas abgeschlossen, sind aber gefühlsmäßig noch immer stark daran gebunden. Überprüfen Sie sich dazu einfach selbst: Aussagen wie »Eigentlich geht es mir gut« deuten auf ein *Love it* mit verstecktem *Change it* hin. Einschränkungen wie »eigentlich« oder »im Grunde genommen« wirken immer als Energie-Räuber.

Wenn Sie Energie-Räuber in Energie-Lieferanten verwandeln können, profitieren Sie am allermeisten. Damit Ihnen dieser große Schritt gelingt, benötigen Sie ein Werkzeug. Dieses Werkzeug liegt ganz in Ihrer Nähe. Es ist der Spiegel. Sie haben richtig gelesen. Um Energie-Räuber in Energie-Lieferanten zu verwandeln, brauchen Sie zunächst einmal Ihren Handspiegel. Und schon geht's los.

Übung 7: Wie mich die anderen sehen

Nehmen Sie den Handspiegel und betrachten Sie Ihr Gesicht. Richtig, das sind Sie. Das sind Sie, wie andere Sie sehen. Doch haben Sie das jemals formuliert? In Worte gekleidet? Wissen Sie wirklich, wie andere Sie sehen? Jetzt erfahren Sie es. Schlüpfen Sie in den Körper und den Geist Ihres größten Energie-Räubers. Wie sieht er Sie? Was denkt er über Sie? Sind Sie für Ihn vielleicht auch ein

Energie-Räuber? Oder sind Sie für ihn ein Energie-Lieferant? Ist er gerne mit Ihnen zusammen oder lehnt er Sie ab? Was schätzt er an Ihnen und was nicht? Es können Eigenschaften sein wie Ihren Mut, Ihre Zuverlässigkeit, was er schätzt, oder auch das Gegenteil davon, was er dann eben nicht schätzt. Seien Sie ehrlich mit sich selbst, und schreiben Sie alles auf.

Die Analyse Ihrer Energie-Räuber

Im Leben erfolgreicher Menschen gibt es eine Zauberformel, und die heißt Win-Win. Stellen Sie sich vor, dass wir im Grunde genommen unser ganzes Leben lang mit anderen Menschen in Vertragsverhandlungen sind. Das kann der Obst-Einkauf beim Tante-Emma-Laden um die Ecke sein oder das größte Geschäft Ihres Lebens; das tägliche Zusammenleben mit Ihrem Lebenspartner oder unsere Beziehung mit unseren Freunden. Wir sind alle rund um die Uhr am Verhandeln. Wie kommt es nun, dass sich die einen dabei meistens übervorteilt sehen, während die anderen positiv gestärkt aus jeder Verhandlung hervorgehen? Das Geheimnis ist Win-Win.

Win-Win bedeutet, dass wir eine Verhandlung so gestalten, dass jeder als Sieger hervorgeht. Damit sind Sie automatisch auf der Gewinnerseite. Wie funktioniert das? Zunächst einmal finden Sie die Gemeinsamkeiten mit Ihrem Verhandlungspartner, und zwar so viele wie möglich. Legen Sie Ziele gemeinsam fest sowie den Weg dorthin. Trennen Sie Mensch und Problem. Stellen Sie nicht

Ihre Position in den Mittelpunkt, sondern das gemeinsame Interesse. Gelingt Ihnen das bei einem Ihrer Energie-Räuber, wird er sich in einen Energie-Lieferanten verwandeln. Denn im Gegenzug wird auch er das gemeinsame Interesse favorisieren. Und die Umsetzung gemeinsamer Interessen setzt eine Menge Energie frei.

Was sollten Sie tun, um Mensch und Problem zu trennen? Stellen Sie sich in die Mokassins Ihres Verhandlungspartners. Fragen Sie sich: Was sind seine Probleme? Seine Aufgaben? Seine Motivationen? Gehen Sie nach dem Prinzip vor, »make your boss a better boss« und überlegen Sie, was Sie dazu beitragen können, dass Ihr Verhandlungspartner besser wird. Ein großer Irrtum der Menschheit ist das Axiom, wenn zwei verhandeln, kann nur einer gewinnen. Richtig ist: Wenn Ihr Verhandlungspartner erfolgreich ist, sind auch Sie erfolgreich. Das ist Win-Win. Selbstbestimmte Menschen agieren stets nach diesem Prinzip.

Ein Beispiel aus meiner Praxis ist eine der heute führenden Designagenturen Deutschlands. Der Chef dieser Agentur stellte gerne junge Absolventen von Fachhochschulen ein. Die Gründe dafür lagen auf der Hand: Sie hatten jede Menge frische Ideen, waren aber für wenig Geld zu bekommen. Nun wunderte er sich, dass diese Mitarbeiter häufig sehr schnell wieder kündigten (da sie von dem geringen Gehalt nicht leben konnten), und es ihm deshalb nicht gelang, mit seinen Kunden langfristige Bindungen aufzubauen. So fiel es ihm schwer, Folgeaufträge zu erhalten. Um ihn zum Erfolg zu führen, musste er den

Begriff von Win-Win erlernen: In der Beziehungsstruktur Agentur – Kunde – Chef – Angestellter müssen alle gewinnen. Ist eine Position aber stets der Verlierer – in diesem Fall der Angestellte – verlieren die anderen mit. Nachdem der Unternehmer seine Einstellung änderte und angemessene Gehälter bezahlte, wurde seine Agentur zu einer der erfolgreichsten der Branche.

Übung 8: Mein Energie-Räuber ist gar keiner

Diese Übung ist leicht. Und doch schwer. Aber sehen Sie selbst: Geben Sie Ihrem größten Energie-Räuber drei positive Eigenschaften. Zum Beispiel willensstark. Oder schlau. Oder energisch. Notieren Sie diese drei positiven Eigenschaften.

Manchmal stellen wir fest, dass wir genau diese Eigenschaften bei uns selbst vermissen. Das heißt, unsere Energie-Räuber zeigen uns eigene Mängel auf. Denn unsere Außenwelt fungiert wie ein Spiegel unserer Innenwelt. Mit dem Win-Win-Prinzip gelingt es, das zu bekommen, was Ihr Energie-Räuber schon hat. Und plötzlich ist allen geholfen.

Die erfolgreiche Win-Win-Strategie

Wie gesagt: Manchen Energie-Räuber sollten Sie so schnell als möglich loswerden. Bei anderen stellen Sie sich bei Konflikt- oder Verhandlungssituationen folgende Fragen:

- Legen wir unsere Win-Win-Ziele gemeinsam fest?
- Höre ich genau darauf, was mein Verhandlungpartner zu sagen hat?
- Filtere ich das Gehörte mit meinen eigenen Vorurteilen?
- Bin ich stets höflich?
- Vermeide ich eigene Monologe?
- Gehe ich nach dem Prinzip der geschickten Fragetechnik vor? Diese besagt, wer fragt, der führt. Stelle also ich die Fragen?
- Vermeide ich vernebelte Informationen wie »Wir werden sehen«, »Es wäre schön«, »Ich würde vorschlagen«?
- Finde ich ein gutes Ende des Gesprächs?

Unser Wortschatz trägt entscheidend zur Erreichung einer Win-Win-Situation bei.

Sagen Sie statt:	ab jetzt:
man	ich
ich möchte	ich werde
ich versuche	ich mache
Krise	Chance
Problem	Herausforderung
Sie sollten mal	Ich wünsche mir von Ihnen

Sie sehen selbst: Das ist eine Menge Holz. Win-Win-Situationen herzustellen, gehört zu den schweren Übungen. Doch wer zu den Siegern gehören möchte, kommt um das Erlernen dieser Technik nicht herum.

Je mehr Sie über sich selbst wissen, je mehr Sie über sich selbst erfahren, desto schneller verlieren Sie Ihre Ängste, desto mehr erkennen Sie sich selbst. Wenn Sie dieses Kapitel konzentriert durchgearbeitet haben, wissen Sie jetzt schon eine ganze Menge Neues über sich. Aber das ist noch lange nicht das Ende der Fahnenstange. Ihr Weg zur Selbstverwirklichung ist ein dynamischer Prozess. Und das Gesetz der Homöostase besagt, wir leben in einem dynamischen Gleichgewicht zwischen den Anforderungen der Umwelt und unserer Leistungsbereitschaft. Daraus können Sie schließen: Erhöhen sich die Anforderungen Ihrer Umwelt, erhöht sich Ihre Leistungsbereitschaft. Allerdings – wie es das Wort sagt – sollten Sie zu dieser Leistung auch bereit sein. Das wiederum verlangt, dass Sie Ihre Ängste abbauen, Ihre Stärken und Schwächen kennen lernen, Ihre Energie-Räuber loswerden oder in Energie-Lieferanten verwandeln. Alle diese Anforderungen verlangen von Ihnen, Grenzen zu überschreiten. Und genau das dürfen Sie jetzt tun.

Übung 9: Überschreiten Sie Grenzen

Diese Übung ist eine Monats-Übung. Sie dauert genau dreißig Tage. Sie funktioniert nicht, wenn Sie sie abkürzen. Aber sie wird aus Ihnen einen Menschen mit sehr viel mehr Selbsterkenntnis machen, wenn Sie sie genau befolgen.

Was Sie tun sollen – besser gesagt, was Sie tun dürfen – ist ganz einfach. Sie dürfen aus Ihrem Alltagstrott ausbrechen und über den Tellerrand hinaussehen. Das wird Ihnen viel Energie bringen und Ihre Sichtweise auf die Umwelt und sich selbst verändern. Die nächsten dreißig Tage dürfen Sie also tun, was Sie noch nie zuvor getan haben. Denn das ist die Übung: Sie werden dreißig Tage lang dreißig Abenteuer erleben. Sie werden dreißig Mal Ihre persönlichen Grenzen überschreiten, Sie werden dreißig Mal Neues erleben. Was Sie tun, liegt ganz an Ihnen. Befolgen Sie nur die vier goldenen Regeln:

- Ihre Abenteuer dürfen Sie nicht verletzen.
- Ihre Abenteuer dürfen niemand anderen verletzen.
- Ihre Abenteuer bleiben Ihr Geheimnis.
- Schreiben Sie alle Gefühle auf, die Ihre Abenteuer in Ihnen auslösen.

Sie dürfen alles tun, egal wie klein oder groß Ihnen das Vorhaben auch erscheint: Einen Tag lang mit einem völlig anderen Verkehrsmittel zum Arbeitsplatz fahren. Ein Essen mit verbundenen Augen einnehmen. Einen Ort besuchen, den Sie noch niemals besucht haben. Ganz bewusst eine Stunde zu spät kommen. Einen Menschen ansprechen, den Sie sich bisher nicht trauten, anzusprechen. Fünfzehn Minuten komplette Stille erleben. Eine Nacht durchmachen. Am Schluss des Buches finden Sie eine Auswahl von möglichen Abenteuern, die Teilnehmer diverser Susanne-Gopalan-Seminare bei dieser Übung erlebt haben. Lassen Sie sich anregen – nichts ist so schwer, wie etwas ›mal ganz anders‹ zu machen. Aber wählen Sie am Ende Ihre eigenen Abenteuer. Und noch einmal: Ob großes oder kleines Ereignis ist völlig egal. Hauptsache, Sie durchbrechen die Routine Ihres Alltags.

Sie können inzwischen mit diesem Buch weiter arbeiten, während Sie Ihren ganz persönlichen Galileo-Galilei-Monat erleben. Wieso Galileo Galilei? Einmal sagte der große Gelehrte zu einem Schüler: »Ich kann Sie nichts lehren. Aber ich helfe Ihnen, es in sich selbst zu entdecken.« Und das ist genau das, was diese Übung bewirkt: In diesem Monat entdecken Sie eine Menge über sich selbst.

Was Sie in diesem Kapitel gelernt haben

In diesem Kapitel haben Sie viel Neues über sich selbst erfahren. Je mehr Sie über sich wissen, desto mehr verschwindet das Gefühl, »ich kann es nicht ändern«. Desto mehr wird Ihnen klar, Sie brauchen keine Angst vor der Angst zu haben. Umso selbstsicherer werden Sie, umso entscheidungsfreudiger, umso energischer. Vergessen Sie aber bei allen frischen Erfolgen nicht: Dieser Weg ist ein dynamischer Weg. Sie sollten deshalb das Kapitel immer wieder einmal durcharbeiten und die Veränderungen schriftlich festhalten. Diese Prozedur wird Sie auf Ihrem Weg zur Selbstverwirklichung bestärken.

Kapitel 2
SELBSTWERTGEFÜHL

Sie haben ein Recht darauf, Ihren Wert und alle Ihre Fähigkeiten zu kennen, zu schätzen und zu genießen. Was hindert Sie daran?

Ihr Selbstwertgefühl ist einer der wichtigsten Bausteine auf dem Weg zum Erfolg. Auf dem Weg zum Glück. Auf dem Weg zur Selbstverwirklichung. Kein Wunder, dass ein Mangel an Selbstwertgefühl leicht das Gegenteil bewirken kann. Wenn wir uns selbst nicht wertvoll fühlen, wenn wir unseren Fähigkeiten nicht vertrauen, können wir unsere Wünsche nicht verwirklichen. Dann werden wir unsere Bedürfnisse nicht in die Tat umsetzen, werden wir mit den Herausforderungen des Lebens nicht fertig. Meistens ist dabei unsere Einstellung das Problem. Sie steuert unser Verhalten. Und unser Verhalten wiederum entscheidet über unseren Erfolg oder Misserfolg.

Unsere Einstellungen sind stark von unserem Selbstwertgefühl abhängig. Deshalb werden Sie in diesem Kapitel daran arbeiten, Ihr Selbstwertgefühl zu erkennen, zu stärken und – das ist ganz wichtig – es auch zuzulassen.

Nicht umsonst heißt es: Den Verlierer erkennt man am Start. Und den Sieger auch.

Sie können Großes schaffen – wenn Sie daran glauben

Auf unserer Erde leben zur Zeit rund sechs Milliarden Menschen. Eine enorme Zahl, die es uns nur schwer erlaubt, uns diese Menschen als das vorzustellen, was sie alle sind: Individuen.

Jeder von uns ist völlig einzigartig. In seinem Aussehen, in seinen Gedanken, Ideen und Zielen. Doch trotz dieser unbestrittenen Individualität mangelt es vielen Menschen an Selbstwertgefühl. Weshalb? Die Antwort liegt in uns selbst verborgen: Weil wir dazu tendieren, uns von anderen beurteilen zu lassen, anstatt uns selbst zu vertrauen. Wir neigen dazu, fremden Analysen mehr Glauben zu schenken als unseren eigenen. Wir lassen es zu, dass fremde Werte auf uns übertragen werden, anstatt auf die eigene Stimme zu hören. Das ist nicht weiter überraschend. Unsere Kindheit und unsere Sozialisation beruht auf dieser »Fremdwert-statt-Selbstwert«-Programmierung. So erziehen Eltern ihre Kinder, unterrichten Lehrer ihre Schüler, behandeln Chefs ihre Untergebenen. Unser Selbstwertgefühl wird ein Leben lang mit Füßen getreten – und manchmal, wenn wir ehrlich sind, treten wir noch kräftig mit.

Ich kann das nicht!

Lange ist es her, dass wir auf diese Welt kamen. Erinnern Sie sich: Sie, das kleine Kind, gleich nach der Geburt? In Ihrem Bewusstsein wird Ihnen das nicht gelingen, aber ihr Gehirn hat alle Erfahrungen gespeichert. Und zu den ersten postnatalen Erfahrungen gehört die Einsicht: Ich bin abhängig. Abhängig von den Eltern oder den Menschen, die mich umsorgen. Ich kann nicht alleine überleben. Ich brauche die Hilfe der anderen. Anders gesagt: Ich bin nicht o.k., aber du bist o.k.

Wenn das eine der ersten Erfahrungen ist, die wir in unserem Leben entwickeln – ist es dann ein Wunder, dass wir den Wert eines anderen Menschen höher einschätzen als den eigenen?

Übung 10: Was ich an dir schätze

Nehmen Sie den Menschen, der Ihnen am nächsten steht: Lebenspartner, Freund, Freundin, Verwandter. Listen Sie alle Eigenschaften auf, die Sie an ihm oder ihr wertschätzen – lassen Sie nichts aus!

Übung 11: Was ich an mir schätze

Jetzt nehmen Sie den Menschen, der Ihnen am allernächsten steht: Sie selbst! Listen Sie alle Eigenschaften auf, die Sie an sich wertschätzen – lassen Sie nichts aus!

Nehmen Sie beide Listen zur Hand. Welche fiel Ihnen leichter zu schreiben? Welche ist länger? Finden Sie Paralleleigenschaften? Welche Emotionen empfanden Sie, als Sie die Liste erstellten über den Menschen, der Ihnen am nächsten steht? Welche Emotionen empfanden Sie, als Sie die Liste über sich selbst schrieben?

Ich bin o.k., du bist nicht o.k.

Verstehen Sie das richtig: Einen anderen Menschen wertzuschätzen, ist eine positive Eigenschaft. Unserer Welt ginge es besser, wenn wir alle Menschen wertschätzen würden. In unserem Fall geht es aber darum, uns ebenfalls wertzuschätzen. Um uns damit aus der energieraubenden Abhängigkeit von Statuskämpfen zu lösen, die wir so eindringlich aus der Welt des Theaters, des Films, der Romane kennen. Wir nennen diese Statuskämpfe Herr-Knecht-Relationen. In diesen Zweierbeziehungen hat der Herr Oberstatus, der Knecht Unterstatus. Natürlich will der Knecht seinen Status erhöhen, der Herr seinen behalten. Je nachdem, ob wir uns in einer Komödie oder in einer Tragödie befinden, entbrennt daraus ein lustiger Streit oder ein blutiger Kampf.

Was wir in der Fiktion beobachten, ist die dramatische Verdichtung unseres täglichen Lebens. Statuskämpfe und Herr-Knecht-Relationen sind unser tägliches Brot. Es gibt immer jemanden, der uns unterdrückt. Immer gibt es jemanden, den wir unterdrücken. Wir befinden uns ständig in einem Geflecht aus Statuserhöhungen und Statusunterdrückungen. Durch die Erhöhung unseres Selbstwertgefühls erhöhen wir unseren Status. Unterdrücken wir damit aber nicht noch mehr Menschen als zuvor? Genau. Und das kann nicht das Ziel sein. Aber der Weg zur Selbstverwirklichung ist weit. Wenn Sie dort angelangt sind, wird Ihr Selbstwertgefühl keine Grenzen kennen. Und Sie werden trotzdem niemanden unterdrücken. Weil Sie die Herr-Knecht-Relation durchbrechen, wenn Sie innere Harmonie erlangen.

Was der Mensch braucht ist Liebe

Nennen wir dieses Gefühl Anerkennung. Nennen wir es positive Zuwendung. Nennen wir es Liebe. Nennen wir es, wie wir wollen, aber gestehen wir uns ein: Wir brauchen es. Liebesentzug kann zum Tod führen. Sucht ein Kind Liebe, lässt es sich eine Menge einfallen, um Aufmerksamkeit zu erregen. Dazu kann auch gehören, dass es versucht, Aufmerksamkeit durch Krankheit, durch Schreikrämpfe, ja sogar Unfälle auf sich zu ziehen. Manche Menschen behalten diese Verhaltensmuster ein Leben lang bei.

Um Aufmerksamkeit zu erlangen und um unseren Status zu erhöhen, tun wir vieles und geben dabei eine Menge Geld aus. Ganze Industriezweige leben davon: Werbung zeigt uns, wie wir uns von anderen unterscheiden können. Mode und Luxusartikel helfen uns dabei. Wenn wir schöner, stärker, klüger sind als die anderen – steigt dann unser Selbstwertgefühl?

Im Alter von rund sechs Monaten lernt ein Kind, sich mit anderen zu vergleichen. Es versteht, wann es sich gut verhält und dafür belohnt wird und wann nicht. Mit anderen Worten: Es lernt die bedingte Liebe kennen. Das ist Liebe, die an Bedingungen geknüpft ist. In den folgenden Jahren werden Kinder mit sogenannten Antreibern konfrontiert. Erinnern Sie sich? »Beeil dich!«, hieß es da. »Sei stark, weine nicht!« Oder: »Streng dich an!« Und wir lernten, uns zu beeilen, wir lernten, stark zu sein, und wir lernten, uns anzustrengen. Denn wenn wir funktionierten, wurden wir geliebt. Wenn auch nur bedingt.

Für diese Bedingungen fraßen wir einiges in uns hinein. Und vernachlässigten darüber hinaus den konstruktiven Umgang mit Konflikten. Hat sich daran etwas geändert, seit wir erwachsen sind? Häufig nicht. Denn noch immer erhalten wir Anerkennung und Bestätigung genau in dem Maße, wie wir unsere Aufgaben erfüllen. Sind wir gut, werden wir wertgeschätzt. Wenn nicht, dann nicht. Demnach sind es Fremdwertgefühle, nicht Selbstwertgefühle, die unsere Rolle in der Gesellschaft definieren.

Übung 12: Was andere an mir schätzen

Was sind das für Werte, die andere an Ihnen schätzen? Ihr Partner, Ihre Familie, Ihre Mitarbeiter, Ihre Vorgesetzten, Ihre Untergebenen? Listen Sie alle diese Eigenschaften auf – lassen Sie nichts aus!

Übung 13: Was andere nicht an mir schätzen

Was sind das für Eigenschaften und Werte, die andere nicht an Ihnen schätzen? Ihr Partner, Ihre Familie, Ihre Mitarbeiter, Ihre Vorgesetzten, Ihre Untergebenen? Listen Sie alle diese Eigenschaften auf – lassen Sie nichts aus!

Übung 14: Was ich an mir nicht schätze

Was sind das für Eigenschaften und Werte, die Sie selbst an sich nicht schätzen? Listen Sie alle diese Eigenschaften auf – lassen Sie nichts aus!

Nehmen Sie nun die Listen der Übungen 11 bis 14, zur Hand. Nun haben Sie es schwarz auf weiß, was Sie an sich schätzen, was andere an Ihnen schätzen, was andere nicht an Ihnen schätzen, was Sie selbst nicht an sich schätzen.

Welche der Listen ist am längsten? Wo gibt es Überschneidungen? Wo unterscheiden sich die Aussagen? Welche vier Ziele, die Sie erreichen möchten, können Sie daraus ableiten? Fassen Sie diese Ziele jeweils in einem Satz zusammen. Lesen Sie diese vier Sätze ab heute täglich durch – bevor Sie Ihren Tag aktiv beginnen.

Wenn wir von Selbstwertgefühl sprechen, geht es darum, ein Bewusstsein für unsere eigenen Fähigkeiten und Werte zu entwickeln. Das ist wichtig, denn schließlich leben wir in vielen Abhängigkeitsbeziehungen zu anderen Menschen. Diese Menschen tendieren dazu, uns mit falschen Erwartungshorizonten zu konfrontieren. Wenn Sie also nicht ständig überfordert sein wollen, lernen Sie, einen kurzen, aber so wichtigen Satz frank und frei auszusprechen – und das, ohne sich dabei minderwertig vorzukommen. Ganz im Gegenteil: Sobald Sie lernen, diesen Satz in den richtigen Augenblicken einzusetzen, wird sich Ihr Selbstwertgefühl steigern. Denn Sie werden automatisch spüren, dass Sie sich damit selbst viel Gutes tun.

Ihr wichtiger Satz zur Steigerung des Selbstwertgefühls lautet:

Nein, das will ich nicht!

Wenn Sie lernen »Nein!« zu sagen, bekommt Ihr »Ja!« einen höheren Stellenwert. Davon haben Sie etwas und davon haben Ihre Mitmenschen etwas.

Übung 15: Mein persönlicher Meister-Wert

Nehmen Sie die beiden Listen zur Hand »Was ich an mir schätze« und »Was andere an mir schätzen«, und führen Sie die darauf stehenden Werte zusammen. Nun entscheiden Sie sich. Stellen Sie sich vor, Sie dürfen nur fünf dieser positiven Eigenschaften behalten. Wählen Sie diese fünf Werte aus, die Ihnen am wichtigsten erscheinen, und schreiben Sie sie auf.

Nun wählen Sie aus diesen fünf Werten die drei Werte, die Ihnen am wichtigsten erscheinen.

Reduzieren Sie diese drei Werte auf zwei Werte.

Wählen Sie von beiden Werten den einen, der Ihnen am wichtigsten erscheint. Das ist Ihr persönlicher Meister-Wert.

Mit Hilfe dieser Übung entdeckte auch ich meinen persönlichen Meister-Wert. Er lautet »Verbinden«. Gemeint ist damit, Menschen miteinander verbinden, Ideen miteinander verbinden, Menschen mit Ideen zu verbinden. Also genau das, was ich als Trainerin in der Personalentwicklung tagein, tagaus tue.

Ich bin o.k., du bist o.k.

Sie werden auf Ihrem Weg zur Selbstverwirklichung noch intensiv mit Ihrem persönlichen Meister-Wert arbeiten. Zunächst einmal ist es für Sie wichtig, ihn zu kennen. Mit ihm können Sie sich viel leichter auf das Wesentliche konzentrieren. Anstatt sich auf Schwächen zu fixieren, sollten Sie sich in Zukunft stets auf Ihren Meister-Wert fokussieren.

Damit setzen Sie automatisch andere Schwerpunkte in Ihrem Leben. Schwerpunkte, die viel mehr Ihrem persönlichen Ich entsprechen. Nach einer Weile werden Sie auch feststellen, dass Sie plötzlich Liebe, Zuwendung und Anerkennung erhalten, ohne etwas dafür tun zu müssen, ohne sie zu erhandeln oder zu erkaufen. Was Sie nun erhalten ist bedingungslose Liebe – also Liebe, die an keine Bedingungen mehr geknüpft ist.

Was Sie wirklich wollen, ist eng mit Ihrem Meister-Wert verknüpft. Wenn Sie Ihren Selbstwert besser kennen, sind Sie in der Lage, sich und Ihre Mitmenschen als einzigartige Individuen mit Stärken und Schwächen zu lieben. Oder anders gesagt – ich bin o.k. Und du bist o.k.

Was Sie in diesem Kapitel gelernt haben

Es muss nicht sein, dass Menschen ihr ganzes Leben lang unter einem mangelnden Selbstwertgefühl leiden. Achten Sie auf die folgenden vier Grundsätze, und Ihr Selbstwertgefühl wird enorm steigen.

- Schätzen Sie sich und Ihre Mitmenschen immer positiv ein. Ihr Mantra heißt: Ich bin o.k. Du bist o.k.
- Beenden Sie Ihre Status-Spiele und beginnen Sie keine neuen.
- Arbeiten Sie täglich mit Ihren vier Zielen.
- Verinnerlichen Sie Ihren persönlichen Meister-Wert.

Kapitel 3
SELBSTVERANTWORTUNG

»Die anderen sind schuld« gilt nicht mehr. »Ich bin schuld« aber ebenso wenig. Was gilt dann?

Manchmal haben wir das Gefühl, es gibt nur drei Arten von Menschen. Die einen, bei denen immer andere verantwortlich sind. Oder die Umstände. Oder das Wetter. Oder der Rasen, falls es sich um die Fußballer der Verlierer-Mannschaft handelt. Oder der Chef. Die schlechte wirtschaftliche Lage. Die Eltern, die Erziehung, die Erbanlagen. Dass man nie eine Chance bekam. Und so weiter und so fort. Dann gibt es diejenigen, die alle Schuld auf ihre Schultern laden. Es gibt aber auch eine dritte Gattung. Diese Menschen sagen: »Ich bin für meine Erfolge verantwortlich. Ich bin für meine Misserfolge verantwortlich. Und wisst Ihr was? Ich genieße diesen Zustand!« Genau dahin werden wir Sie bringen.

Allein in dem Wort Selbstverantwortung steckt eine Menge Potential. Ja, ich bin verantwortlich für alles, was ich tue. Ich bin verantwortlich für alles, was ich denke. Ich bin verantwortlich für alles, was ich fühle. Was in meinem Leben passiert, und wie ich selbst dazu stehe, gibt mir Antworten auf die wichtigste aller Fragen: Wer bin ich?

In diesem Kapitel werden Sie entdecken: In dem Moment, in dem Sie Selbstverantwortung übernehmen, wächst Ihre Macht und Sie wiederum sind selbstverantwortlich dafür, diese neue Macht positiv für sich und Ihre Umwelt zu nutzen. Diese Macht entsteht dadurch, dass Sie Ihr Leben viel intensiver selbst gestalten werden, sobald Sie sich zur Selbstverantwortung bekennen.

Selbstverantwortung ist auch ein Energieträger. Zunächst stecken Sie eigene Energie hinein – schließlich handeln Sie ja selbstverantwortlich. Aber Sie werden feststellen, dass Sie weitaus mehr Energie aus Ihrem Handeln zurückbekommen. Je mehr Selbstverantwortung Sie übernehmen, desto mehr Energie gewinnen Sie. Allein das sollte Anreiz genug sein.

Übung 16: Kann dieses Buch Sie ändern?

Stellen Sie sich diese Frage: Kann dieses Buch Sie ändern? Immerhin ist es Ihre Anleitung auf dem Weg zur Selbstverwirklichung. Kann es Sie also ändern? Kreuzen Sie an:

Ja! Nein!

Die Frage könnte auch lauten: Kann Ihr Partner Sie ändern? Kann Ihr Chef Sie ändern? Kann ein Guru Sie ändern? Ein Vorbild? Eine Trainerin? Die Antwort ist jedesmal: Nein! Definitiv nicht.

Nur Sie selbst können sich ändern. Dieses Buch zeigt Ihnen einige neue Wege auf. Ein Trainer kann vielleicht Ähnliches vollbringen. Aber ob Sie diese neuen Wege auch beschreiten, liegt ganz allein an Ihnen. Daher können nur Sie selbst sich ändern. Mit anderen Worten: Sie sind da völlig selbst verantwortlich.

Schon allein daher ist das Argument »es ging nicht, weil …« immer eine faule Ausrede. Denn es beschreibt einen Grund, der nicht aus uns selbst stammt. Ganz anders sieht es mit Argumenten aus wie »ich hatte keine Zeit« oder »ich hatte keine Lust«. Ihren Gesprächspartnern mögen diese Argumente zwar nicht immer schmecken – manche Leute lehnen Menschen mit Selbstverantwortung ab, weil es sie daran erinnert, dass sie selbst fremdbestimmt sind. Trotzdem beweisen Sie damit Selbstverantwortung.

»Ich hatte keine Lust« heißt im selbstverantwortlichen Fall, Sie haben intuitiv überprüft, ob Sie ein Angebot annehmen wollen oder ablehnen. Sie entscheiden sich für die Ablehnung, wenn Sie spüren, das Angebot bringt Ihnen weniger Lustgefühl oder Energie, als Sie hineinstecken müssen. Allein mit dem Wörtchen »ich« übernehmen Sie die ganze Verantwortung für Ihr Handeln.

Übung 17: Meine Probleme

Erstellen Sie eine komplette Liste aller aktuellen Probleme, mit denen Sie zur Zeit konfrontiert sind. Lassen Sie nichts aus.

Übung 18: Wer ist dafür verantwortlich?

Nehmen Sie Ihre Liste und geben Sie je nach Verantwortungsgrad jedem Problem eine Punktezahl von 0 bis 10. 0 Punkte geben Sie, wenn jemand anderes für Ihr Problem verantwortlich ist. 10 Punkte, wenn alleine Sie es sind. Zählen Sie am Ende Ihre Punkte zusammen.

Bei dieser Übung sind Sie mit maximaler Punktzahl Sieger. Dann haben Sie bereits die Erfolgsstrategie eingeschlagen, für gar nichts andere Menschen verantwortlich zu machen. Je weniger Punkte Sie haben, desto mehr schieben Sie Ihre Verantwortung noch ab. Selbstverantwortung bedeutet aber, überall und immer die Verantwortung für die eigenen Probleme zu übernehmen.

Nun gibt es Fälle, in denen uns Selbstverantwortung schwer fällt. Ein anderer Verkehrsteilnehmer fuhr uns ins Auto – vielleicht verletzte er uns sogar schwer? Können wir dafür Selbstverantwortung übernehmen? Oder Ihr Flug ist überbucht und die Fluggesellschaft nimmt Sie nicht mit – die Konferenz findet ohne Sie statt. Selbstverantwortung – ja oder nein?

Diese schwierigeren Fälle meistern wir, wenn wir uns mit Spielregeln befassen. Das bedeutet, wir müssen akzeptieren, dass wir mit unserer Beteiligung an jedem Spiel stets ein Commitment abgeben: Fahren wir Auto, müssen wir selbstverantwortlich akzeptieren, dass uns ein anderer Fahrer verletzen kann. Wollen wir verreisen, müssen wir selbstverantwortlich akzeptieren, dass die Fluggesellschaft am längeren Hebel sitzt. So sind die Spielregeln. Es geht also nicht um Schuldzuweisungen. Es geht um unser Commitment zur Selbstverantwortung. Wir sind nicht für alles verantwortlich. Aber stets für den Umgang damit.

Übung 19: Ziehen Sie Ihre Kleider aus, machen Sie einen Kopfstand und singen Sie »Hoch auf dem gelben Wagen«

Das Leben konfrontiert uns mit unendlich vielen sinnigen, aber auch unsinnigen Regeln und Gesetzen. Ganz in der Nachbarschaft des Büros, in dem dieses Buch geschrieben wurde, gibt es eine Fußgänger-Ampel, die Rot zeigt, wenn die kreuzenden Autofahrer auch Rot haben, und Grün, wenn die Autos fahren dürfen. Bei Grün zu gehen, bedeutet also Lebensgefahr, bei Rot zu gehen ist verboten, und irgendwo lauert immer ein Polizist. Und die mögen es nicht, wenn man bei Rot über die Ampel geht, egal wie unsinnig die Ampelschaltung ist.

Die Ampel zwingt uns also zu einer Reaktion – bleiben wir stehen oder überqueren wir die Straße – und unsere Selbstverantwortung liegt darin, bewusst auf diesen Reiz zu reagieren. Schuldzuweisung ist eine Möglichkeit (»da zahlt man Steuern, und dann können die da oben nicht mal eine Ampel schalten«), aber was hilft das, wenn uns ein Auto überfährt?

Nicht zu agieren ist eine zweite Möglichkeit, aber dann stünden wir noch immer dort und dieses Buch wäre nie fertig geworden. Kein Weg führt daran vorbei: Selbstverantwortung ist angesagt. Und da bietet die Ampel mehrere Möglichkeiten. Gehen wir bei Grün, entscheiden wir uns selbstverantwortlich dafür, die Gesetze dieses Landes zu beachten, aber dafür unsere Gesundheit aufs Spiel zu setzen. Gehen wir bei Rot, entscheiden wir uns selbstverantwortlich dafür, auf die Gesetze dieses Landes zu pfeifen, aber unsere Gesundheit zu schonen. Steht ein kleines Kind an der Ampel, bieten sich weitere Möglichkeiten, Selbstverantwortung zu beweisen: Sind wir Vorbild und gehen bei Grün, gefährden wir damit wissentlich das Leben des Kindes. Gehen wir bei Rot, wird das Kind an der nächsten Ampel ebenfalls bei Rot die Straße überqueren.

Sie sehen, es gibt genug gute Gründe, diese Ampel mit der Kettensäge zu fällen. Oder die Computer, die solche Ampelschaltungen möglich machen, außer Betrieb zu setzen. Oder die Menschen, die solche Computer programmieren, besser zu schulen. Doch mit Schuldzuweisungen kommen wir niemals zu einer Lösung.

Daher gibt es für uns kaum ein besseres Trainingsfeld, uns in Selbstverantwortung zu üben, als diese Ampel. Tagtäglich regt sie uns dazu an, nachzuspüren, wie stimmig die von fremder Hand gemachten Spielregeln des Straßenverkehrs für uns sind. Und das ist, was auch Sie tun sollen: Überprüfen Sie, wie stimmig fremde Spielregeln für Sie sind. Wenn Sie sich gerne entkleiden, um im Kopfstand

»Hoch auf dem gelben Wagen« zu singen, nur zu. Wenn nicht, dann nicht. Denn diese Spielregel haben wir aufgestellt, und Ihre Aufgabe ist es, dazu selbstverantwortlich »Ja!« oder »Nein!« zu sagen. Oder aber mit uns – stellvertretend für alle anderen Regel-Aufsteller dieser Welt – darüber zu diskutieren.

Sie merken, wo der Hase im Pfeffer liegt: Love it, change it, leave it, heißt die Devise. Wir können unsere Ampel und ihre täglichen Prüfungen lieben. Wir können sie umgehen. Oder wir können die Stadtverwaltung dazu bringen, die Ampelschaltung zu ändern.

An den Spielregeln selbst aber können wir nichts ändern: Bei Grün hat man zu gehen, bei Rot zu stehen. Aber wir können und müssen unsere Einstellung gegenüber den Spielregeln ändern. Da gibt es immer zwei Möglichkeiten: Kampf. Oder Spiel.

Immer wenn Sie vom Kampf zum Spiel kommen, schlagen Sie die Straße der Sieger ein. Denn im Kampf (»diese verdammte Ampel kriegt mich nicht klein!«) investieren wir mehr Energie als im Spiel (»ich bin schlauer als du – dich trickse ich aus!«). Im Kampf erhöht sich automatisch unsere Muskelspannung, was Blockaden und erhöhten Energieverbrauch mit sich bringt. Im Spiel dagegen führen wir rationales und emotionales Denken zusammen. Unsere beiden Gehirnhälften ergänzen sich, und wir finden die optimale Lösung.

Mehr Power durchs Spiel

Wählen Sie statt	*jetzt*
Kampf	Spiel
Dominanz	Gleichberechtigung
Verhaltensrezepte	Kreativität
Kontrolle	Austausch
Monokultur	Vielfalt
Scheuklappen	Flexibilität
Bewerten	Wahrnehmen
Theorie	Erleben

Wenn wir Aufgaben vor uns sehen, die wir lösen möchten, wenn wir Ziele vor uns haben, die wir erreichen wollen – dann hindern uns immer wieder starke Kräfte daran. Einige von ihnen haben Sie bereits analysiert. Dabei werden Sie feststellen, dass es sich in den meisten Fällen um Variationen von Angst handelt: Versagens-Ängste, Vergleichs-Ängste, Verlust-Ängste, Verlassens-Ängste, Risiko-Ängste.

Häufig verlegen wir uns bei diesen Ängsten auf die »Ja-Aber-Programmierung« oder die »Die-Umstände-sind-schuld-Programmierung«. Doch seltsamerweise machen diese Rechtfertigungen nicht glücklich. Wir spüren instinktiv, dass Ängste und vorgeschobene Gründe, etwas doch nicht zu wagen, die Qualität unseres Lebens negativ beeinflussen.

Doch auch dafür haben wir Menschen uns ein Programm zurecht gelegt: Die Kompensation durch Konsum, Essen, Schlaf oder Ablenkung. Um diesen Teufelskreis zu durchbrechen, müssen wir die Verantwortung übernehmen, Veränderungen selbst einzuleiten und der Herausforderung ins Gesicht zu schauen. Das bedeutet für Sie, Ihre Komfortzone zu verlassen. Damit schaffen Sie sich einen neuen Lebensrahmen. In diesen Lebensrahmen passen im übrigen die Grenz-Überschreitungen, die Sie als Monats-Übung vornehmen. Sind diese Grenz-Überschreitungen schon Teil Ihres neuen Lebens geworden, bewegen Sie sich ohnehin nicht mehr in Ihrer Komfortzone.

Übung 20: Was ich schon immer ändern wollte

Erstellen Sie eine Liste der Dinge, die Sie schon immer in Ihrem Leben ändern wollten, weil Sie spüren, dass sie die Qualität Ihres Lebens negativ beeinflussen.

Manches von dem, was auf Ihrer Liste steht, kommt Ihnen sicherlich bekannt vor. Ähnliches haben Sie schon formuliert, als Sie sich mit Ihren Ängsten, Schwächen und Energie-Räubern beschäftigten, oder mit der Frage, was Sie an sich selbst nicht wertschätzen. Zum Beispiel Konflikte endlich einmal anzunehmen und Ihre Harmoniesucht zu überwinden.

Welche Ziele können Sie nun daraus formulieren? Was hindert Sie daran, eine Änderung vorzunehmen? Denken Sie ganz selbstverantwortlich: Sicher ist es nicht das schlechte Wetter, die Regierung oder die Erdanziehungskraft.

Veränderungen in Ihrem Leben sind aber nur dann sinnvoll, wenn Sie genau wissen, weshalb Sie sich verändern wollen oder sollen und wenn Sie in die Entscheidung eingebunden sind. Bewerten Sie Ihre Veränderungsmotivation höher als Ihre Angstmotivation, sind Sie bereit zur Aktion.

Einer der Hauptgründe, weshalb viele Menschen selbstverantwortliche Aktionen ablehnen, ist ihre große Angst vor Fehlern. Ihre Rechnung geht so: Mache ich nichts, mache ich auch keine Fehler. Diese Rechnung wird allerdings nicht aufgehen. Denn der Frust, der Ärger, der Energieverlust und die ganze Reaktionskette, die darauf folgt, wiegen weitaus schwerer. Zumal Fehler ihr schlechtes Image gar nicht verdienen.

Experiment: Machen Sie einen Fehler

Jetzt sind Sie am Zug. Machen Sie bitte einen Fehler. Egal welchen. Machen Sie ihn sofort. Nicht nur im Kopf, sondern im Handeln.

Nun? Hat nicht geklappt? Das war die erste Übung, bei der Sie nichts zustande brachten? Der Grund ist: Wir machen Fehler nicht bewusst. Fehler passieren. Wenn Sie einen Fehler bewusst und mit Absicht begehen, begehen Sie Sabotage.

Fehler sind gut – denn wir lernen aus ihnen

Das weiß schon der Volksmund – und das weiß zum Beispiel auch die Film-Branche. Dort heißt eine der wichtigsten Regeln: Beim Filmen lernt man nur aus Fehlern. Das kann Ihnen jeder Regisseur bestätigen: Den perfekten Film gibt es nicht. Dafür genug Fehler, die er im nächsten Film vermeiden kann. Oder anders gesagt: Genug Erfahrungen, um es das nächste Mal besser zu machen. Und das gilt beim Hausbau, in der Partnerwahl, bei der Wahl des Urlaubsortes: Stets ziehen wir vorausgegangene Erfahrungen heran, um unsere neue Entscheidung möglichst besser zu treffen.

Unser Erfolg ist das Ergebnis richtiger Entscheidungen. Unsere richtigen Entscheidungen sind das Ergebnis unserer Erfahrungen. Unsere Erfahrungen sind meist das Ergebnis falscher Entscheidungen. Ergo: Ohne falsche Entscheidungen haben wir keinen Erfolg.

Unsere Welt ist voller Geschichten, wie Menschen aus Fehlern und falschen Entscheidungen lernten. Als Thomas Edison mit seiner Glühbirne experimentierte, musste er über 9.000 Fehlversuche verkraften – aber er war überzeugt, dass ihn jeder Fehler seinem Ziel ein Stück näher brachte. Von Gerd Müller weiß man, dass niemand so viele Tore in der Fußball-Nationalmannschaft und der Bundesliga schoss wie er. Man weiß aber auch, dass niemand so häufig daneben schoss.

Die Firma 3M wollte einen Leistungskleber entwickeln, der hunderprozentige Nie-wieder-ablös-Qualitäten bieten sollte. Durch Fehler in den Versuchsreihen entstand ein

Produkt, das zu den erfolgreichsten der Firmengeschichte gehört: Post-it – abziehbare Klebeprodukte, das Gegenteil der Nie-wieder-ablös-Qualität.

Alexander Graham Bell wollte eine Hörhilfe für seine fast taube Frau entwickeln. Das misslang ihm – statt dessen machte er eine Erfindung, die die Welt veränderte: das Telefon.

Weshalb sind Fehler gut?

Die Antwort ist ganz einfach: Wer nicht regelmäßig Fehler macht, riskiert zu wenig und gibt nicht alles, was er zu geben hat. Unsere Wege zu Spitzenleistungen sind mit »Trial and Error« verbunden. Ein Fehler beschert uns neue Erfahrungen. Wer also sagt, ich kann mir keine Fehler leisten, sagt auch, ich kann mir keine Erfahrungen leisten. Der einzige wirkliche, fatale Fehler ist, unsere Fehler nicht zu analysieren und aus ihnen zu lernen. Genau das machen die wenigsten Menschen im Alltag. Gut, dass Sie nicht dazu gehören.

Übung 21: Welche Fehler sind Ihnen schon passiert?

Erstellen Sie eine Liste der bedeutsamsten Fehler, die Ihnen passiert sind.

Übung 22: Wozu waren diese Fehler gut?

Nehmen Sie Ihre Liste und ordnen Sie jedem Fehler ein Argument zu, weshalb er nutzvoll war. Zugegeben, das ist nicht ganz einfach. Machen Sie es trotzdem. Sie werden sehen, manche Fehler lösen sich dabei ganz auf. Und andere erscheinen in einem neuen Licht.

Übung 23: Fehler und Spielregeln

Erinnern Sie sich an die Ampel? Es könnte ein Fehler sein, bei Grün darüber zu gehen. Es könnte ein Fehler sein, bei Rot darüber zu gehen. Es könnte ein Fehler sein, die Straße nicht zu überqueren. Das ist davon abhängig, ob ich die Spielregeln kenne und davon ausgehend auch meine Selbstverantwortung. Die Spielregeln sagen: In Deutschland geht man nur bei Grün über die Ampel. Meine Selbstverantwortung sagt: Ich gehe dann über die Ampel, wenn es sicher ist. Das kann auch bei Rot sein. Beobachtet mich ein Polizist oder ein Kind, muss ich das in meine Entscheidung mit einbeziehen.

Deshalb ist es wichtig, die Spielregeln zu kennen. Und es ist erstaunlich, wie häufig wir das nicht tun. Nehmen Sie Ihre Fehler-Liste. Bei welchen Fehlern kannten Sie die Spielregeln und bei welchen nicht? Und wenn Sie die Spielregeln nicht kannten, weshalb nicht?

Fünf Fragen, um auf des Pudels Kern zu stoßen

Es ist nicht die Pflicht der anderen, uns die Spielregeln beizubringen. Es ist unsere selbstverantwortliche Pflicht, sie kennen zu lernen. Das ist ein dynamischer Prozess, der nie aufhört – neues Spiel, neue Spielregel, neues Glück. Die jeweiligen Spielregeln lernen wir nur kennen, indem wir Fragen stellen.

Nach einer Faust-Regel genügen fünf Warum-Fragen, um in den meisten Fällen an die Wurzel eines Problems zu kommen.

Nehmen wir einmal an, eine Maschine fiel aus. Wir fragen: Warum ist die Maschine ausgefallen? Die Antwort ist: Der Stromkreis war überlastet.

Warum war der Stromkreis überlastet? Ein Lager war nicht geölt.

Warum war das Lager nicht geölt? Die Ölpumpe war defekt.

Warum war die Ölpumpe defekt? Der Kolben war verschlissen.

Warum war der Kolben verschlissen? Es fehlte ein Sieb, so dass Maschinenabrieb eindringen konnte.

Hätten wir nur dreimal gefragt, wäre die Ölpumpe ersetzt worden. Und die Maschine wäre nach kurzer Zeit erneut ausgefallen.

Unser Bekenntnis zur Selbstverantwortung bringt es mit sich, dass wir uns selbst verantwortlich um die Spielregeln kümmern, wenn wir uns entscheiden, an einem Spiel teilzunehmen. Dann müssen wir die Spielregeln abfragen, genau so, wie wenn wir mit Freunden ein neues Gesellschaftspiel ausprobieren möchten. Was ist dabei unsere erste Frage? »Kann mir jemand die Regeln erklären?« Das wird passieren, und Sie werden so lange nachfragen, bis Sie alles verstanden haben.

Weshalb das Nachfragen von Spielregeln so wichtig ist, erlebe ich in meiner täglichen Praxis: In jedem Unternehmen gibt es Mitarbeiter, die wissen genau, auf welche Art und Weise Beförderungen ausgesprochen oder sogar Entlassungen vermieden werden. Anderen Mitarbeitern desselben Unternehmens ist das völlig schleierhaft. Sie kennen die Spielregeln nicht, weil sie nie danach fragten.

Dasselbe gilt für die Familie. Ich nenne es das Partnerschaftsspiel: »Wer macht was« ist eine Spielregel, ohne die es regelmäßig zu Unstimmigkeiten kommt. Die Spielregeln zu den Themen Zukunft, Sicherheit oder Finanzen müssen allen bekannt und vollkommen klar sein.

Immer öfter habe ich es auch mit sogenannten »virtuellen Firmenteams« zu tun. Das sind Mitarbeiter, die in völlig verschiedenen Kulturkreisen leben: Deutschland und Indien beispielsweise, gerade im Bankwesen eine immer häufigere Konstellation. Hier müssen zunächst Spielregeln der Kommunikation aufgestellt werden sowie Spielregeln der Firmenkultur. Beide Bereiche funktionieren in Indien völlig anders als in der Bundesrepublik. Werden diese Spielregeln vernachlässigt, sind die Probleme vorprogrammiert.

Aus diesem Grund sollten Sie bei jedem »Spiel«, an dem Sie teilnehmen, mindestens fünf Mal nachfragen. Dann werden Sie nicht nur wissen, weshalb die Maschine wirklich ausgefallen ist – dann kennen Sie auch die Spielregeln sämtlicher Alltagspiele.

Dass wir in einer fehlerfeindlichen Kultur leben, ist kein Geheimnis. Dass wir damit in einer Kultur mangelnder Selbstverantwortung leben, schadet uns. Solange die Angst vor Fehlern und vor Bestrafung allerdings dafür sorgen, dass Menschen Fehler lieber vertuschen, anstatt aus ihnen zu lernen, wird sich daran nichts ändern. Oder doch? Wir können zu einer Verbesserung beitragen. Ganz selbstverantwortlich.

Weil es risikolose Risiken und handlungsorientierte Fehlerlosigkeit nicht gibt, benötigen wir dazu ein gutes Fehler-Toleranzmanagement. Warum feiern wir nur Erfolge, wenn wir doch aus Fehlern so viel mehr lernen können? Weltweit erfolgreiche Unternehmen wie McDonald's machen das schon lange, wo das Foto des erfolgreichsten Fehlerfinders einen Monat lang öffentlich präsentiert wird.

Übung 24: Feiern Sie Ihren Fehler der Woche

Welche Fehler haben Sie diese Woche gemacht? Wählen Sie zum Wochenende Ihren Lieblingsfehler aus und feiern Sie ihn. Ihn und das, was Sie aus diesem Fehler lernen wollen. Aber feiern Sie wirklich! Nur so zu tun, das wäre nun wirklich ein Fehler.

Lernen aus Erfahrungen – die Saulus-Analyse

Wenn wir aus Fehlern lernen können, sollten wir mit Hilfe einer klaren Analyse größtmöglichen Nutzen daraus ziehen. Ich schlage Ihnen dafür die SAULUS-Analyse vor:

- S Situationsanalyse
- A Auswirkung des Fehlers
- U Selbstverantwortliche Ursache des Fehlers
- L Lösungsalternativen
- U Umsetzung der gewählten Lösung
- S Sicherung des neuen Status quo

Wann immer Ihnen ein Fehler passiert, greifen Sie ganz selbstverantwortlich zur SAULUS-Analyse. Denn die führt Sie direkt zur Tat. Und ohne eine Tat können wir nichts aus Fehlern lernen.

Ich nenne meinen Seminar-Teilnehmern hier gerne ein Beispiel aus meinem eigenen Leben: Schon auf der Schule hatte ich den Berufswunsch, Lehrerin zu werden. Doch dann entschied ich mich für ein Studium der Betriebswirtschaft. Als ich merkte, dass ich mich damit von meinem Berufswunsch immer mehr entfernte, hielt ich das Studium für einen Fehler. Situationsanalyse und Auswirkung des Fehlers waren klar, und da ich mich selbst für das Studium entschieden hatte, war ich auch selbstverantwortlich für die Ursache. Als Lösungsalternative erschien mir ein paralleles Studium an einer Pädagogischen Hochschule sinnvoll. Dort bemerkte ich, dass ich lieber in der

Erwachsenenbildung als in einer Schule arbeiten wollte. Somit war das betriebswirtschaftliche Studium die bessere Alternative. Den Status quo sicherte ich im Anschluss daran durch zahlreiche Trainerausbildungen.

Eine große Herausforderung für unsere Selbstverantwortung: Die Konfliktlösung

Konflikte, das wissen wir bereits aus der Bibel, sind so alt wie die Menschheit selbst. Und mangelnde Konfliktlösung hat dasselbe biblische Alter. Seit Kain den Abel erschlug, so scheint es, haben wir nur wenig dazugelernt. Was nur beweist, wie schwierig Konfliktlösungen im Alltag sind. Der Hauptgrund dafür ist, dass keine der beteiligten Parteien gern in Selbstverantwortung zur Konfliktlösung beiträgt. Aus diesem Grund laufen menschliche Konflikte stets nach einem Muster ab:

1. Zwei Parteien haben einen unterschiedlichen Standpunkt. Die Meinungen prallen aufeinander. Noch besteht die Überzeugung, Meinungsverschiedenheiten durch Gepräche lösen zu können.
2. In den folgenden Debatten polarisieren sich die Meinungen. Die Verhandlungspartner denken schwarzweiß. Es geht nicht mehr um die Sache, es geht um Status: Wer ist überlegen, wer ist unterlegen?
3. Reden hilft nicht weiter – nun müssen Taten sprechen. Die Verhandlungslager ziehen die Strategie der vollendeten Tatsachen vor.

4. Die Parteien manövrieren sich endgültig in negative Rollen und bekämpfen sich. Beide werben um Anhänger ihrer Position.
5. Beide Parteien versuchen durch Drohungen und direkte Angriffe, beim Gegner Gesichtsverlust zu erzielen.
6. Drohungen und Gegendrohungen. Konfliktbeschleunigung durch Ultimatum.
7. Der Gegner wird nicht mehr als Mensch gesehen. Beide Parteien wählen die Strategie der begrenzten Vernichtungsschläge. Ein eigener kleinerer Schaden wird als Gewinn bewertet.
8. Das Ziel ist die Zerstörung der anderen Partei.
9. Totale Konfrontation. Es gibt keinen Weg zurück. Zur Vernichtung des Gegners wird eine mögliche Selbstvernichtung billigend in Kauf genommen.

Kommen Ihnen diese neun Stufen der Konflikteskalation bekannt vor? Wir kennen Sie aus der Politik, wenn Staatsmänner das Leben Hunderttausender riskieren, weil auch sie nicht selbstverantwortlich handeln. Aber wir kennen es auch aus unserem eigenen Leben, wenn wir im Beruf oder in der Partnerschaft Konflikte nicht bewältigen.

Übung 25: Mein Umgang mit Konflikten

Nehmen Sie einen wichtigen Konflikt, den Sie zu bewältigen hatten. Welches der folgenden sechs Grundmuster haben Sie gewählt?

1. Vermeidung bzw. Flucht: Wir übergehen das Problem, erkennen es nicht an oder schweigen es tot.
2. Wir vernichten das Problem, in dem wir den Kontrahenten vernichten. Die Äquivalenz dazu in unserer modernen Betriebswelt ist die Entlassung.
3. Wir lösen den Konflikt durch die Unterwerfung des Kontrahenten. In der Wirtschaft redet man von feindlichen Übernahmen. Innerbetrieblich übernimmt eine Abteilung eine andere. In der Politik besetzt die Armee eines Staates einen anderen.
4. Wir delegieren den Konflikt an die höhere Instanz, die ihn per Diktat von oben löst. Sollen »die da oben das doch klären«, oder, in einer anderen Form: »Ziehen wir vor ein Gericht!«
5. Wir lösen den Konflikt mit einem vorschnellen Kompromiss: Wir machen Zugeständnisse, suchen die rasche Lösung, die wir aber später als unbefriedigend empfinden. Darüber jammern wir.
6. Wir lösen den Konflikt per Kooperation Win-Win. Hier sprechen wir den Konflikt offen aus und diskutieren ihn. Statt in die Eskalation abzudriften, wägen wir die gegenseitigen Interessen ab und erarbeiten gemeinsam eine Lösung, die alle befriedigt. Dieser Ansatz funktioniert nur, wenn beide Seiten sich als gleichwertig verstehen.

Sie sehen selbst: Von sechs Grundmustern beim Umgang mit Konflikten, die sich die Menschheit in zig-tausenden Jahren erarbeitet hat, sind fünf mit immensen Nachteilen für mindestens einen Verhandlungspartner behaftet. Nur die sechste Lösung ist eine echte Lösung. Sie kommt zustande, wenn beide Partner in Selbstverantwortung handeln. Deshalb hier einige weitere, wichtige Tipps:

- Lassen Sie den anderen ausreden, auch wenn er Kritik übt.
- Hören Sie aktiv zu.
- Bleiben Sie bei der Sache.
- Ich bin o.k. – du bist o.k.: Halten Sie Pausen aus, ohne zum argumentativen Gegenschlag anzusetzen.
- Nicht jeder Konflikt kann gleich gelöst werden. Lassen Sie Konflikte auch stehen. Schlafen Sie eine Nacht darüber.
- Gestehen Sie eigenes Unrecht ein. Kommen Sie dem Konfliktpartner entgegen.
- Denken Sie im Konsens. Win-Win bedeutet, beide Parteien sollen gewinnen.

Sie werden feststellen: Alle diese Tipps gelingen nur, wenn Sie selbstverantwortlich handeln. Dann allerdings funktionieren sie hervorragend. Konflikte gehören damit zwar nicht der Vergangenheit an. Dafür aber die Eskalation von Konflikten. Oder können Sie sich vorstellen, dass Mahatma Ghandi und Martin Luther King einen hypothetischen Konflikt durch gegenseitige Vernichtung ausgetragen hätten?

Was Sie in diesem Kapitel gelernt haben

Wer Selbstverantwortung scheut, wird in seinem Leben nicht weit kommen und immer fremdbestimmt bleiben. Ist Ihnen diese Vorstellung ein Gräuel, halten Sie sich an folgende Grundsätze:

- Sie können andere Menschen nicht ändern. Sie können nur sich selbst ändern.
- Wählen Sie stets Spiel statt Kampf.
- Fragen Sie bei jedem Spiel die Spielregeln ab.
- Wählen Sie stets Aktion statt Verharren.
- Sie können aktiv keine Fehler machen. Fehler passieren.
- Fehler vermitteln Erfahrung. Erfahrung ist der Grundstein Ihres Erfolgs.
- Lösen Sie Konflikte durch Win-Win.

Kapitel 4
SELBSTVERTRAUEN

Superman und Superwoman können die Welt aus den Angeln heben. Aber ich bestimmt nicht. Oder doch?

Was Selbstvertrauen so alles leistet, entnehmen Sie täglich dem Sportteil Ihrer Zeitung. Da ist eine Fußballmannschaft, die grottenschlecht kickt, doch plötzlich unter dem neuen Trainer Sieg um Sieg einfährt. Dabei sind die Spieler unter der neuen Ägide weder schneller noch athletischer geworden. Doch ganz offensichtlich verstand es der neue Trainer, seinen Spielern Selbstvertrauen einzuimpfen, und innerhalb kurzer Zeit stellt sich der Erfolg ein.

Ob Menschen vom Tellerwäscher zum Millionär werden oder zu Fuß die Wüste Gobi durchqueren, den Mount Everest ohne Sauerstoffflaschen besteigen oder im Heißluftballon die Welt umrunden: ein ausgeprägtes Selbstvertrauen ist stets der Grundstein für ihren Erfolg. Astrid Benöhr, mit über zwei Dutzend Weltrekorden im Ultra-Triathlon – darunter auch die 10-fache Ironman-Distanz von 38 km Schwimmen, 1.800 km Radfahren und 422 km Laufen am Stück, die sie schneller als jeder Mann in 187 Stunden, also knapp 8 Tagen, bewältigt hat – weiß genau, welche Grenzen ein hohes Selbstvertrauen sprengen kann. Die dreifache Mutter, die erst mit 20 Jahren zum Leistungssport kam und davor als Kettenraucherin Probleme hatte, ohne Pause in den dritten Stock ihres Hauses zu kommen, bringt es so auf den Punkt: »Ich weiß einfach, dass ich es schaffe«.

Ich weiß einfach, dass ich es schaffe – um diesen Kernsatz herum bilden erfolgreiche Menschen Selbstvertrauen. Und mit diesem Selbstvertrauen gelingt ihnen nicht nur das Mögliche, sondern auch das Unmögliche.

Wo Licht ist, ist auch Schatten: Über Selbstvertrauen und Selbstzweifel

Wieso wissen manche Menschen, dass sie es schaffen, während andere in Selbstzweifeln vergehen? Unser Selbstvertrauen – wie auch sein Konterpart Selbstzweifel – entstand vor allem in unserer Vergangenheit. Die Rückmeldungen, die wir in der Schule, in der Familie, beim Sport oder Musizieren, in Vereinen oder unter Freunden erhielten, haben uns geprägt. Sie steuern noch heute unser Selbstvertrauen. Daran, dass diese Rückmeldungen oft wenig ermutigend ausfielen, leiden viele Menschen noch Jahre später.

Was tun? Zunächst einmal die Einsicht: So erging es nahezu jedem Menschen. Dem Ex-Tellerwäscher-jetzt-Millionär. Dem Wüste-Gobi-Durchquerer. Dem Mount-Everest-Besteiger. Selbst der Weltmeisterin im Ultra-Triathlon. Auch Erfolgsmenschen bekamen negative Rückmeldungen. Der Mensch mit viel Selbstvertrauen unterscheidet sich von dem mit wenig in seiner Art, wie er damit umgeht. Wie steht es mit Ihnen? Denken Sie heute noch daran, dass Ihr Lehrer einmal sagte, also du lernst das bestimmt nie? Menschen mit Selbstvertrauen lassen negative Rückmeldungen einfach stehen. Dieses Stehenlassen ist der Schlüssel zu Ihrem Erfolg.

Übung 26: Negative Rückmeldungen aus meiner Vergangenheit

Jetzt dürfen Sie mal wieder richtig jung sein! Erinnern Sie sich an vier negative Rückmeldungen aus ihrer Kindheit und Jugendzeit. Schreiben Sie sie auf und notieren Sie, wer Ihnen diese Rückmeldung gab.

Übung 27: Auswirkungen dieser negativen Rückmeldungen

Nun knöpfen Sie sich diese Rückmeldungen mal so richtig vor. Denn offensichtlich wirken ihre negativen Auswirkungen bis heute nach – andernfalls hätten Sie sich nicht an sie erinnert. Stellen Sie sich zwei Fragen: Weshalb trifft Sie gerade diese negative Rückmeldung so schwer? Was hindert Sie daran, sie einfach stehen zu lassen?

Unser Schutz vor Unbequemlichkeiten

Manchmal sind uns negative Rückmeldungen auch ganz willkommen. Durch sie schlüpfen wir bequem in die Opferrolle, können passiv bleiben, anstatt aktiv zu agieren. Doch es ist ein Irrglaube, dass Aktivität mehr Energie kostet als Passivität. Im Gegenteil, denn das Verharren in negativen Emotionen gehört zu den größten Energie-Killern. Kein Wunder, dass passive Menschen mit mangelndem Selbstvertrauen rasch in eine Negativspirale geraten: Bei der nächsten Aufgabe wählen sie wieder die Passivität, mit allen bekannten Ausreden:

Ich habe keine Zeit.
So haben wir das noch nie gemacht.
Jetzt sollen erst mal die anderen ran.
Das gehört nicht zu meinem Aufgabenbereich.
Vielleicht morgen.
Das bringt doch nichts.
Ich kann es nicht ändern.

Doch steigern Ausreden das Selbstvertrauen? Nein. Der zweite wichtige Faktor zur Bildung von Selbstvertrauen ist daher: Verlassen Sie die Passiv-Falle! Werden Sie aktiv!

Übung 28: Was sind Ihre größten drei Erfolge?

Darauf dürfen Sie stolz sein: Listen Sie Ihre drei größten Erfolge auf. Notieren Sie, was Sie unternommen haben, um diese Big Points Ihres Lebens zu erzielen.

Übung 29: Was sind Ihre drei größten Misserfolge?

Und nun die Sache anders herum: Listen Sie Ihre drei größten Misserfolge auf. Notieren Sie, was Sie hätten tun können, um die Aktivität erfolgreich abzuschließen.

Wie kommen wir zu mehr Selbstvertrauen? Der Zaubersatz heißt: Werden Sie konkret aktiv

Wenn wir negative Rückmeldungen loslassen und gleichzeitig aktiv werden – stellt sich dann zwangsläufig Selbstvertrauen ein? Wichtig sind zwei weitere Faktoren:

Unsere Erfolge müssen messbar sein.

Wir müssen die Leistung selbst erbringen.

Anders gesagt, die erarbeitete Million trägt mehr zur Steigerung unseres Selbstvertrauens bei als die im Lotto gewonnene. Aus diesem Grund müssen Sie sich ein System schaffen, das Ihre Erfolge messbar macht. Mit dem Vorsatz »im nächsten halben Jahr abzuspecken« kommen Sie nicht weit. Mit dem Vorsatz »im nächsten halben Jahr Monat für Monat ein Kilogramm leichter zu werden« dagegen schon. Das System heißt also: Werden Sie konkret. Drücken Sie sich in exakten Zahlen aus.

Ein stets wiederkehrendes Argument erfolgloser Menschen ist: Hätte ich dieses, könnte ich jenes. Hätte ich Geld, dann könnte ich machen, was ich will. Die Glücksformel lautet dabei: Erst muss ich haben. Dann kann ich tun.

Die Glücksformel erfolgreicher Menschen dagegen ist genau anders herum: Ich bin. Ich tue. Dann habe ich.

Wer also in die Erfolgszone kommen will, muss seinen Denkansatz ändern. Aus diesem Grund gehen erfolgreiche Menschen stets konkreten Aufgaben nach. Und verlassen sich dabei auf folgende Prinzipien:

1. Sie haben klare Ziele.
2. Sie behalten diese Ziele im Auge, vierundzwanzig Stunden am Tag, sieben Tage die Woche.
3. Sie sind stets aktiv.
4. Sie planen schriftlich.
5. Sie ziehen in regelmäßigen Abständen Bilanz.

Der schnellste Mann der Welt

Als man den Leichtathleten Carl Lewis fragte, welche Ziele er für die Olympischen Spiele in Los Angeles habe, gab er zur Antwort: »Ich will der schnellste Mann der Welt sein.« Und fügte hinzu: »Der erste, der die 100 Meter unter 10,0 Sekunden läuft.« Gut, dass er sich den zweiten Satz nicht sparte. Denn Carl Lewis lief unter 10,0 Sekunden, war aber trotzdem nicht der schnellste Mann der Welt. Der Kanadier Ben Johnson lief noch einen winzigen Tick schneller. Trotzdem ging Lewis mit gestärktem Selbstvertrauen aus dem Wettkampf – sein konkretes, messbares Ziel hatte er ja erreicht – und gewann deshalb die Goldmedaille im Weitsprung.

Als Ben Johnson später des Dopings überführt wurde,

kam für Lewis auch der zweite Faktor erfolgreicher Menschen voll zum Tragen: Man muss die Leistung selbst erbringen. Im Gegensatz zu seinem Konkurrenten hatte er das gemacht – ohne Hilfe von verbotenen Dopingmitteln.

Lassen Sie daher immer konkrete Zahlen sprechen, wenn Sie Ihre Ziele formulieren: Sie sind die Basis Ihres Erfolgs. Erreichen Sie dann Ihre messbaren, konkreten Ziele, steigert sich automatisch Ihr Selbstvertrauen.

Übung 30: Was wollen Sie wann und wie erreichen?

Probieren Sie es aus: Wählen Sie ein Ziel, das Sie erreichen möchten. Nun werden Sie konkret: Wann wollen Sie es erreichen? »In der nächsten Zeit« ist eine ungenügende Angabe. »In sechs Monaten« ist ebenfalls unbefriedigend. »Am 26. Juni des darauf folgenden Jahres« klingt dagegen sehr gut. Als Nächstes notieren Sie alle Schritte, die Sie zu seiner Umsetzung benötigen. Notieren Sie auch dazu fixe Daten. Werden Sie selbst dann konkret, wenn Sie es eigentlich gar nicht können. Denn der Grundsatz der selbsterfüllenden Prophezeiung hilft, einmal schriftlich fixierte Ziele Realität werden zu lassen.

Ein »Nein!« mit Power

Die Energie, die freigesetzt wird, wenn wir »Nein!« sagen, weil wir »Nein!« meinen, haben Sie im zweiten Kapitel kennen gelernt. Dieses »Nein!« hat nichts mit einer Ausrede zu tun – weil es ein aktives »Nein!« ist. Und damit ein »Nein!«, das uns vor Überforderung schützt. »Nein« sagen heißt nicht umsonst auch »Ja« sagen zu sich selbst.

Werden wir überfordert, registrieren wir unsere Mängel anstatt unsere Stärken. Damit Ihr »Nein!« stets ein aktives »Nein!« ist, überprüfen Sie vorher: Können Sie Ihr »Nein!« faktisch begründen? So haben wir das noch nie gemacht, ist keine faktische Begründung. Können Sie die Aufgabe sinnvoll delegieren? Jetzt sollen mal die anderen ran, ist keine sinnvolle Delegation. Können Sie Hilfe zur Selbsthilfe anbieten? Zum Beispiel ›ich mache es dir vor und das nächste Mal kannst du es selbst'? Wenn sowohl Ihr »Ja!« als auch Ihr »Nein!« immer aktiv geprägt sind, gewinnen Sie rasch an Selbstvertrauen.

Die Kraft der Rituale

Rituale dienen dazu, Menschen Selbstvertrauen für neue Aufgaben zu vermitteln. In unserer Gesellschaft sind auf den ersten Blick viele dieser Rituale verschwunden. Wir schicken unsere Kinder nicht mehr in die Wildnis, um sie durch ein bestandenes Abenteuer in die Welt der Erwachsenen aufzunehmen. Und trotzdem: Wo immer Menschen in unserem Kulturkreis vor schwierigen Aufgaben stehen, erinnern sie sich instinktiv an rituelle Formen. Da bilden die Spieler des Handball-Europameisters Deutschland vor jedem Spiel einen engen Kreis und schwören sich gemeinsam auf den Sieg ein. Da durchlaufen Zimmerleute, bevor sie auf die Walz gehen, fünfhundert Jahre alte Rituale. Diese geben ihnen die Kraft, mindestens zwei Jahre und einen Tag nach strengen Regeln zu leben, fast wie im Mittelalter, mit wenig Geld und ohne dazwischen nach Hause zurückkehren zu dürfen.

Häufig wird in diesen traditionellen Ritualen die ureigene Stärke des Individuums beschworen. Diese Fokussierung gibt dem Selbstvertrauen den entscheidenden Kick: Und plötzlich glauben wir an uns! Mit Hilfe von Fokussierungen können auch Sie Ihrem Selbstvertrauen auf die Sprünge helfen.

Was ich meinen Teilnehmern immer empfehle, ist, die Stärken dieser Rituale zu nutzen: Gönnen Sie sich zum Beispiel vor wichtigen Entscheidungen oder Meetings ihre fünf »stillen Minuten«, in denen Sie sich ganz genau vorstellen, wie erfolgreich dieses Treffen für Sie verläuft. Gewöhnen Sie es sich an, sich körperlich zu bewegen, wenn Sie auf der Suche nach guten Ideen sind. Und feiern Sie Ihre Erfolge – auch das ist ein nicht zu unterschätzendes Ritual.

Übung 31: Stärken Sie Ihre Stärken

Ihr Selbstvertrauen ist die Summe verschiedenster Einzelqualitäten, die Sie trainieren und umprogrammieren können. Stellen Sie sich vor, Ihre Vergangenheit ist wie ein Spielfilm auf einer DVD aufgezeichnet. Diese können Sie umprogrammieren – und etwas Neues draufspielen.

Nehmen Sie Ihr Stärken-Schwächen-Profil zur Hand, das Sie in Kapitel 1 erstellt haben. Denken Sie sich einen Trainingsplan aus, wie Sie Ihre Stärke verstärken können. Diesen Plan umzusetzen, wird Ihnen viel Freude bereiten. Nichts macht so viel Spaß, wie die eigenen Stärken zu stärken. Trotzdem gilt auch hier: Damit sich Ihr Selbstvertrauen steigert, müssen Sie Ihren Trainingsplan konkretisieren. Aber das wissen Sie ja bereits.

Übung 32: Meine Erfolgsmuster – die rationale Übung

Der Volksmund hat es schon immer gewusst: Was einmal klappt, klappt auch zweimal. Der Grund dafür liegt darin, dass wir alle gewisse Erfolgsmuster haben. Daher ist es umso wichtiger, Ihr persönliches Erfolgsmuster zu kennen – um es dann auf andere Bereiche zu übertragen.

Nehmen Sie sich noch einmal Ihre drei Big Points vor. In welchen unterschiedlichen Lebensbereichen diese auch liegen mögen – sicher erkennen Sie das gemeinsame Muster, das bei allen Erfolgen zugrunde lag. War es eine besondere Strategie? Ein betont freundliches Wort? Oder ein extra selbstsicheres Auftreten? Lag es daran, dass Sie einfach am Ball blieben?

Ich selbst machte folgende Erfahrung: Während meiner Banklehre sagte mir einer der Ausbilder: Frau Gopalan, Sie können vielleicht vieles, aber verkaufen können Sie nicht. Von da an legte ich umso mehr Wert darauf, gut im Verkauf zu werden. Am Ende war ich eine erfolgreiche

Verkäuferin unseres Azubi-Investmentfonds. Ich wollte es dem Ausbilder einfach zeigen.

Was immer Sie herausfinden, diese Übereinstimmung definiert Ihr persönliches rationales Erfolgsmuster. Notieren Sie es in einem Satz. Beginnen Sie ihn mit:

Ich bin immer dann erfolgreich, wenn ich …

Übung 33: Meine Erfolgsmuster: die emotionale Übung

Nehmen Sie drei Zeitschriften zur Hand, die Sie immer mal wieder lesen. Blättern Sie sie durch und reißen Sie die Fotos aus, die Sie persönlich als »Erfolgs-Bilder« definieren. Egal, was drauf ist. Machen Sie diese Übung flott – in wenigen Minuten. Lassen Sie einfach Ihre Intuition entscheiden.

Nun haben Sie Ihre kleine Foto-Sammlung. Welche dieser Bilder sprechen Sie am meisten an? Können Sie sie zu einem Bild zusammensetzen? Lassen Sie Ihre Sammlung eine Zeitlang auf sich wirken und filtern Sie die Emotionen heraus, die Sie darin für sich entdecken. Das heißt: Was fühlen Sie, wenn Sie das Bild anschauen? Diese Gefühle definieren Ihr emotionales Erfolgsmuster. Schreiben Sie sie auf. Gemeinsam mit Ihrem rationalen Erfolgsmuster haben Sie nun einen Schlüssel zum Erfolg in der Hand. Nutzen Sie ihn.

Ihr Leben in Balance

Beim Essen fällt uns diese Beobachtung ganz leicht: Wir haben uns eine Suppe gekocht, geben Salz dazu und stellen fest: Zu viel ist zu viel, zu wenig ist zu wenig. Keine umwerfende Beobachtung, aber eine lebenswichtige. Zu viel Kälte schadet uns, zu viel Hitze aber auch. Ein bißchen Wein bringt uns in Stimmung, trinken wir zu viel, wird uns schlecht. Der Mensch ist nicht für Extreme geschaffen, obwohl uns das die Medien gerne vorgaukeln. Doch sobald wir unserem Körper zu viel abfordern, schlägt das Pendel in die andere Richtung: Wir werden krank, wir plagen uns mit alten Verletzungen, mit nicht verarbeiteten Traumata.

Wo die Grenzen zwischen zu wenig, gerade richtig und zu viel liegen, ist bei jedem Menschen individuell. Allein deshalb hat es keinen Sinn, sich mit anderen zu vergleichen. Allein deshalb lohnt es sich dagegen sehr, auf die innere Stimme zu hören. Sie allein weiß, wann genug ist. Um in die Balance zu kommen, müssen Sie genau definieren, was Sie in Ihrem Leben wollen und was nicht.

Übung 34: Was tue ich, um anderen zu gefallen?

Bevor Sie zum Kern Ihrer ureigenen Wünsche vordringen, müssen Sie eine wichtige Unterscheidung lernen: Was tun Sie für sich? Und was tun Sie nur, weil Sie anderen gefallen wollen?

Erstellen Sie eine Liste aller Dinge, die Sie nur deshalb tun, um anderen zu gefallen. Überprüfen Sie: Würde ich das auch tun, wenn es nur um mich ginge?

Meine Vision – was will ich?

Visionen zu finden, gehört zu den schwierigsten Übungen des Menschen. Konzentrieren Sie sich auf den Kernsatz: Was will ich wirklich? Erleben Sie das Gefühl, das Ihnen die Erfüllung von Wünschen bereitet.

Eine der wichtigsten beruflichen Visionen, die ich hatte, sah so aus: Ich befand mich am Ufer eines Ozeans und unterrichtete eine internationale Gruppe. Diese Vision war der Ausgangspunkt meines ersten Seminars in San Francisco.

Selbstvertrauen im Einklang mit Ihren Wünschen

Ihr Selbstvertrauen entsteht primär dadurch, dass Sie die Dinge für sich tun. Dazu müssen Sie Ihre Stärken und Vorzüge kennen. Richten Sie also stets Ihren Blick auf die Bereiche, in denen Sie gut sind, und fördern Sie sich dort, wo Ihre Begabungen stecken. Tun Sie das, können Sie darauf vertrauen, diese Stärken stets unbewusst abrufen zu können – wie ein Sportler, der eine Übung tausend Mal trainiert hat, um sie im Wettkampf perfekt zu exerzieren. Oder ein Geigenvirtuose, der in einem Konzert nicht mehr darüber nachdenken muss, wie er den Bogen auf die Saiten ansetzt.

Tue Gutes und rede darüber

Das Einmaleins erfolgreicher Public Relation: When you got it, show off – wenn du es geschafft hast, prahle damit.

Regt sich bei Ihnen Widerstand? Prahlen – das dürfen wir doch nicht? Doch, doch, Sie dürfen. Wenn Sie wirklich Gutes getan haben, reden Sie darüber. Ohne andere dabei abzuwerten. Falls es Ihnen am Anfang noch schwer fällt, dann reden Sie einfach nur mit sich. Quasi unter vier Augen. Noch besser: Schreiben Sie es auf. Führen Sie Ihr persönliches Erfolgstagebuch.

Übung 35: Mein Erfolgstagebuch

Diese Übung ist eine Unendlich-Übung. Sie wird über den Zeitraum, in dem Sie sich mit diesem Buch beschäftigen, hinausgehen. Im besten Falle geht diese Übung Ihr ganzes Leben lang. Denn das Protokollieren Ihrer Erfolge hört ja nicht morgen auf. Fragen Sie sich täglich: Was habe ich gut gemacht, worauf bin ich stolz, was lief heute super? Führen Sie alles auf, was sich für Sie »gut« anfühlt, auch die kleinen Dinge. Lesen Sie immer wieder in Ihrem Erfolgstagebuch. Am besten vor schwierigen Verhandlungen, hohen Hürden und neuen Aufgaben.

Selbstvertrauen durch Klarheit

Es gibt Dinge im Leben, die können wir nicht. Nicht jeder ist zum Tiefseetaucher, zum Jet-Piloten oder zur Politesse berufen. Aus diesem Grund tanken Sie eine Menge Selbstvertrauen, wenn Sie sich vor einer neuen Herausforderung klar machen, mit wie viel Prozent Sie sich diese Herausforderung zutrauen. Nimmt Sie jemand mit auf eine Bergtour und Sie stellen fest, den schmalen Weg am Rande der Gletscherspalte trauen Sie sich nur zu zehn Prozent zu, erleidet Ihr Selbstvertrauen keinen Knacks, wenn Sie Ihrem Wanderpartner sagen: Sorry, ohne mich.

Stellen Sie beim Durchblättern der Steuerformulare fest, dass Sie nur bei einem Fünftel der Fragen wissen, wovon hier die Rede ist, trauen Sie sich das richtige Ausfüllen eben nur zu zwanzig Prozent zu. Und wenn Sie dieses Fünftel dann richtig beantworten, haben Sie Ihre Mission zu 100% erfüllt. Wenn Sie gar keine Ahnung haben, wie der platte Reifen zu wechseln ist: Kein Grund, Ihr Selbstvertrauen anzuzweifeln, wenn Sie nicht mal die Schrauben aufkriegen. Machen Sie sich also vor jeder Herausforderung klar, wo Sie stehen, und setzen Sie sich selbst gesunde Grenzen.

Selbstvertrauen durch Intuition

Lassen Sie uns nochmals über eine unserer wichtigsten Hilfen zur Erlangung von Selbstvertrauen sprechen: über die Intuition – unsere innere Stimme. Kaum eine Wahrnehmung wird in unserer westlichen Gesellschaft stärker unterdrückt als sie. Der Grund ist, dass wir für die Intuition kein Sinnesorgan kennen. An den Empfindungen, die unsere Augen, unsere Ohren, unsere Nase und unsere Haut empfangen, zweifeln wir weitaus weniger. »Erst wenn ich es gesehen habe, glaube ich es«, sagt der Volksmund – und das, obwohl wir nicht sicher sein können, ob wir das, was wir da sehen, auch tatsächlich sehen.

Andere Kulturen trauen der Intuition mehr zu. Jeder Beduine wird Ihnen sagen, wie gefährlich eine Fata Morgana für sein Leben sein kann. Deshalb verlassen sich Wüsten-Nomaden viel mehr auf ihre innere Stimme als auf das so leicht täuschbare Auge. Doch unsere logikdurchtränkte Gesellschaft hat diese innere Stimme fast zum Verstummen gebracht. Denn sie ist eine leise Stimme und braucht innere und äußere Ruhe, um sich bemerkbar zu machen. Und schon allein an dieser äußeren Ruhe mangelt es uns. Wie wollen wir die innere Stimme hören, in Rush-Hour-Zeiten am Freitag-Nachmittag in einer deutschen Großstadt? Es ist möglich – denn wir können unsere innere Stimme trainieren.

Trainingsplan zur Stärkung Ihrer Intuition

Zahllose Geistesblitze in der Geschichte der Menschheit belegen, wie wichtig die innere Stimme ist. Ganz egal, ob wir uns im Bereich der Wissenschaft bewegen, in der Technik oder in der Kultur: Immer wieder hat die innere Stimme von Menschen dazu beigetragen, dass die

Menschheit im Ganzen sich weiterentwickeln konnte. Immer wieder hat die innere Stimme von einzelnen Menschen zum Erfolg des Individums beigetragen.

Eine anschauliche Geschichte erzählt Keith Richard, der Gitarrist der Rolling Stones. Eines Nachts wachte er auf, und seine innere Stimme spielte ihm einen Gitarren-Riff vor. Er setzte sich auf, notierte die Griffe und legte sich wieder schlafen. Am nächsten Morgen hatte er alles vergessen. Aber neben dem Bett lag ein Zettel mit ein paar Noten. Er probierte sie aus, und der Rest ist Geschichte: Seine innere Stimme hatte ihm den berühmten Refrain des Stückes »I can't get no satisfaction« eingeflüstert – des am häufigsten verkauften Rock-Songs der Welt. Es ist im Übrigen kein Wunder, dass die innere Stimme nachts auftrat. Auch die Welt eines Rock-Gitarristen ist nicht gerade leise.

Unsere innere Stimme manifestiert sich in Träumen und Gefühlen. Wenn Sie in der Lage sind, Ihre Träume zu notieren, tun Sie es. Sie müssen kein Traumdeuter sein, um auf dessen Kern zu stoßen. Wichtig ist, die Emotionen festzuhalten, die Sie während Ihres Traumes spürten.

Bei vielen Menschen meldet sich die innere Stimme, wenn sie in Bewegung sind: beim Joggen, Spazierengehen, Wandern. Es ist daher eine gute Idee, immer Notizblock und Stift mit sich zu führen.

Das Training der inneren Stimme erfolgt über drei Stufen. In der ersten Stufe trainieren wir unsere Sinne. Sehen – hören – riechen – schmecken – fühlen. Auch hier gilt: Je besser Sie Ihre Sinne kennen, desto mehr werden Sie ihnen vertrauen.

Übung 36: Meine Tage der Sinne

Definieren Sie für einen ganzen Tag einen Ihrer Sinne, auf den Sie sich konzentrieren werden. Also Montag ist Augen-Tag, Dienstag ist Ohren-Tag, Mittwoch ist Nasen-Tag usw. An diesem spezifischen Tag versuchen Sie, diesen bestimmten Sinn besonders deutlich zu fühlen: Wechseln Sie am Augen-Tag häufig die Perspektive. Gehen Sie ganz nah ran. Verschaffen Sie sich einen Gesamtüberblick. Hören Sie am Ohren-Tag ganz genau zu. Lauschen Sie auf Wind, Regen, Vögel, Autoverkehr, das Geschrei der Leute. Hören Sie nicht weg, hören Sie hin. Wichtig ist, dass Sie einen ganzen Tag im Zeichen Ihres Trainings-Sinns verbringen. Sie werden erstaunt sein, wie schnell Sie Fortschritte machen.

Übung 37: Ich höre auf meine innere Stimme – eine einfache Anleitung zur Meditation

Wie gesagt: Die innere Stimme meldet sich nicht per Megaphon. Um Sie zu vernehmen, müssen Sie in sich hineinhören. Der Weg, in sich hineinzuhören, ist der Weg der Meditation. In der Meditation sind Sie im Hier und Jetzt, wobei Sie den inneren Monolog – Ihr Denken, nicht Ihre innere Stimme – zum Verstummen bringen. Aber gerade das ist häufig einfacher gesagt als getan.

Viele Meditierende ziehen das Sitzen dem Liegen vor, weil man im Liegen zu schnell in einem wohligen Entspannungszustand versinkt. Ich empfehle die Meditation mit offenen Augen, wobei Sie ungefähr einen Meter vor sich hinblicken – oder, wenn Sie sich im Freien befinden – auch einfach in die Ferne. Atmen Sie tief aus und ein und konzentrieren Sie sich zunächst nur auf Ihre Atmung. Das hilft, Ihren inneren Monolog zum Schweigen zu bringen. Als Nächstes können Sie ein Mantra murmeln. Das kann ein sich stets wiederholendes Wort oder ein ganzer Satz sein. Ich benutze dazu gerne meinen eigenen Meister-Wert.

Die Wirkung der Meditation erfolgt im Übrigen durch Kontinuität und Disziplin. Nicht die einzelne Sitzung zählt, sondern die regelmäßige zu einer stets gleichen Zeit. Richten Sie sich also Ihren Tag so ein, dass Sie täglich mindestens zehn Minuten Zeit für Ihre Meditation haben.

Meditieren heißt, den Weg zur Mitte finden. Die Mitte in uns. Sie ist dort, wo wir nicht hinsehen, nicht hinhören und nicht hingreifen können. Aber wo wir hinfühlen können. Nachdem Sie mit der Meditation vertraut geworden sind, werden Sie genau das tun: Sie fühlen in sich hinein.

Übung 38: Ich schaue in die Zukunft

Wir können die Zukunft voraussagen, wenn wir sie selbst planen. Bei dieser Übung aber versuchen wir eine Voraussage bei ungeplanten Aktivitäten. Das Telefon läutet. Bevor Sie abnehmen, versuchen Sie Ihre innere Stimme zu hören: Wer ist dran?

Sie erhalten einen Brief. Bevor Sie den Absender lesen, lauschen Sie nach innen: Wer könnte Ihnen geschrieben haben? Je länger Sie üben, desto mehr stellt sich der Erfolg ein.

Was Sie in diesem Kapitel gelernt haben

Selbstvertrauen hat viele Facetten. Es hängt von unserem Erfahrungsschatz ab und von unserer Einstellung zum Leben. Stellen Sie sich einmal vor, Sie machen eine Bergtour. Sie stehen am Fuß des Berges und sehen einen Wegweiser. Der Wegweiser hat drei Schilder. Eines der Schilder zeigt auf den Touristen-Weg. Der ist leicht, bequem, bietet eine Menge Aussicht, verlangt aber auch eine Menge Zeit. Eines der Schilder weist den Weg für geübte Wanderer. Er geht steil bergauf, über schmale Pfade und Klettersteige, er bietet ein leichtes Risiko, und wer ihn überwindet, kommt rascher ans Ziel. Das dritte Schild weist den Weg für Abenteurer. Dieser Weg führt durch Schnee und über Gletscher, Sie müssen Überhänge überwinden, aber mit erheblichem Risiko erreichen Sie schnell den Gipfel. Welchen Weg Sie wählen, reflektiert Ihre Einstellung zum Leben. Wenn Ihnen der Touristenpfad am sympathischsten vorkommt, Sie aber trotzdem den Abenteurer-Weg wählen, müssen Sie sich nicht wundern, wenn Ihr Selbstvertrauen darunter leiden wird, wenn Sie den Weg nur schlecht bewältigen.

Dagegen werden Sie Ihre Visionen umsetzten und Ihre Ziele erreichen, wenn Sie

- bei sich bleiben,
- Rückschläge nicht persönlich nehmen,
- Ihre Stärken stärken,
- Ihre Erfolgsmuster kennen,
- nach Ihren konkreten Zielen leben,
- Ihre Sinne stärken,
- auf Ihre innere Stimme hören.

Kapitel 5
SELBSTMOTIVATION

Die Welt wimmelt nur so von Motivatoren. Und trotzdem haben Sie manchmal keine Lust? Woran das wohl liegt?

Wann haben Sie eigentlich das letzte Mal in Ihrem Leben Hunger gehabt? Nein, ich meine nicht Appetit, ich meinen Hunger. Echten Hunger. Niemals wahrscheinlich, und dafür können wir dankbar sein. Falls Sie aber jemals in die Situation geraten, wirklichen Hunger zu verspüren, werden Sie ein Problem nicht kennen: mangelnde Motivation, etwas Essbares aufzutreiben.

Damit sind wir schon beim Kern des Themas: Motivation ist immer von einem messbaren Ziel abhängig. Kein Wunder also, dass wir starke Motivationen vor allem in der Welt des Sports erleben: Wer das Ziel verfolgt, den Marathon unter drei Stunden zu laufen, weiß, wofür er trainiert. Wer das Ziel verfolgt, mit Skiern an den Füßen 120 Meter durch die Luft zu fliegen, ebenfalls. Wer das Ziel verfolgt, den Mount Everest ohne Sauerstoffflaschen zu besteigen, in der nächsten Saison Torschützen-König zu werden oder sein Handicap auf dem Golfplatz zu halbieren, weiß, was er zu tun hat. Deshalb lieben wir den Sport. Er zeigt uns selbstmotivierte Menschen, und gerne wären wir wie sie.

Sind wir aber nicht. Weniger als drei Prozent aller Deutschen haben klar fixierte Ziele. Erstaunlich eigentlich, denn 99 Prozent von uns träumen davon, erfolgreich zu sein. Mit diesem nicht zielgerichteten Traum machen wir allerdings nur Fernsehproduzenten von Superstar-Sendungen erfolgreich. Uns befällt ohne messbare Ziele schnell Langeweile, Unlust und Orientierungslosigkeit – alles ausgesprochene Motivations-Killer. Ein Teufelskreis. Weshalb wir diesen gerade in unserer westlichen Konsumgesellschaft häufiger antreffen als in anderen, weniger wohlhabenden Kulturen? Der Grund dafür ist unser Komfort. Komfort fördert Bequemlichkeit, aber ohne das dazugehörige Glücksgefühl.

Die Steigerung unseres Komforts – ist das in unserer westlichen Gesellschaft nicht einer der Hauptgründe, morgens aufzustehen? Die U-Bahn in die Arbeit zu nehmen? Dort acht Stunden zu arbeiten? In der Rush-Hour wieder zurück? Und das fünf Tage die Woche, rund fünfzig Wochen im Jahr? Damit es uns immer besser geht, wir noch bequemer und sicherer leben können?

Übung 39: Warum arbeite ich?

Schreiben Sie alle Gründe auf, weshalb Sie täglich zur Arbeit gehen. Welcher ist der wichtigste Grund?

Übung 40: Mein Komfort – schwarz auf weiß

Was ist für Sie Komfort – worauf möchten Sie nicht verzichten? Schreiben Sie auf, was Ihnen lieb und teuer ist in Ihrem Leben.

Ob wir es wollen oder nicht: Komfort ist einer unserer größten Ziele-Killer. Alles, was auf Ihrer Liste steht, kann Ihnen den Blick auf Neues verstellen. Ich kann Ihnen dazu ein wunderbares Beispiel nennen, das fast meine eigene Karriere negativ beeinflusst hätte: Als Studentin erhielt ich ein Fulbright-Stipendium an der San Francisco State University. Doch eine Woche vor der guten Nachricht zog ich in eine neue Wohnung, und als ich den Brief in Händen hielt, war mein erster Gedanke: Das geht doch nicht. Da muss ich ja gleich wieder ausziehen. Obwohl es sich nur um einen zusätzlichen Aufwand drehte, war es nicht leicht, mich aus dieser Komfortzone herauszumanövrieren.

Übung 41: Mein Komfort soll mich nicht behindern

Knöpfen Sie sich Ihre Liste vor und gehen Sie sie Punkt für Punkt analytisch durch: Wo behindert Ihr Komfort Ihr Weiterkommen? Das heißt, wo müssen Sie viel Energie und Zeit investieren, um den Status quo aufrechtzuerhalten?

Unser Streben nach Konsum führt auf der einen Seite zu mehr Komfort, auf der anderen Seite zu weniger Eigenbestimmung. Denn zum einen verlieren Menschen, die aus Konsumgründen in die Schuldenfalle tappen, ihre Möglichkeit zur Selbstbestimmung. Zum anderen werden wir alle durch Marketing und den damit verbundenen Lockruf nach mehr Konsum fremdbestimmt. Darüber dürfen wir uns nicht wundern, denn die cleversten Motivatoren finden wir heutzutage in der Werbung. Sie verführen uns zu Mehr-Konsum und Mehr-Komfort. Ihretwegen geben wir viel Geld aus für Produkte, die wir nicht brauchen, und verharren deshalb in Jobs, die wir nicht lieben. Unser Konsumdenken wird durch Fremdbestimmung und Manipulation definiert, und dabei bleibt unsere Selbstmotivation auf der Strecke. Wissenschaftliche Untersuchungen zeigen, dass erfolgreiche Menschen nur wenig Zeit mit Fernsehen verbringen und sich dabei aus dem Angebot nur das herauspicken, was ihnen für ihr Weiterkommen nützlich erscheint. Denn das Wort Motivation kommt von Bewegung, und die findet nicht im Fernseh-Sessel statt.

Um Motivation zu gewinnen, müssen Sie zunächst Ihre Demotivatoren abbauen. Dazu gehören die heimlichen Verführer der Werbung. Dazu gehören schlechte Nachrichten, die Ihnen rund um die Uhr um die Ohren gehauen werden. Dazu gehören Miesepeter und Bedenkenträger in ihrer sozialen Umgebung. Mit anderen Worten: Dazu gehört alles, was Ihnen fremdbestimmt den Tag verdirbt.

Wie stark unsere Gesellschaft von Demotivation durchdrungen ist – obwohl wir doch scheinbar alles haben – zeigt eine Untersuchung, nach der ein Viertel aller Angestellten innerlich gekündigt hat. Lassen Sie sich diese Zahl auf der Zunge zergehen: Fünfundzwanzig Prozent aller Beschäftigten in Deutschland hassen ihren Job so sehr, dass sie ihn lieber nicht machen würden. Obwohl sie trotzdem Tag für Tag zu dieser Arbeitsstelle marschieren. Nur der Weg zur Selbstverwirklichung wird uns aus diesem Hamsterrad befreien. Beschäftigen Sie sich also mit Ihren Demotivatoren.

Übung 42: Was demotiviert mich?

Nach derselben Umfrage rangieren zwei Gründe für die berufliche Demotivation an oberster Stelle:

- Ungenügender Informationsfluss
- Entscheidungen über den Kopf hinweg

Diese beiden Gründe finden Sie möglicherweise auch auf Ihrer Liste, wenn Sie Ihre persönlichen Demotivationen aufschreiben. Aber graben Sie tiefer. Sparen Sie auch Ihr persönliches Umfeld nicht aus.

Der Umgang mit Demotivationen

Kommen Sie Ihren Demotivationen auf die Spur wie ein Detektiv einem Kriminalfall. Nehmen Sie Ihre Liste zur Hand und überprüfen Sie analytisch:

- Weshalb demotiviert mich die Situation?
- Wie ist die Situation entstanden?
- Dreht es sich um eine Person: Was sind die Gründe für ihr Verhalten?

Kennen Sie die Motivlage Ihres Demotivators, müssen Sie ganz nach dem Prinzip der Selbstverantwortung Konsensmanagement betreiben. Konsens bedeutet: einen gemeinsamen Sinn finden. Um einen gemeinsamen Sinn mit Ihrem Demotivator zu finden, kommen Sie nicht an einer Win-Win-Strategie vorbei. Gibt es für Win-Win keine Möglichkeit mehr, müssen Sie Ihren Demotivator so schnell wie möglich hinter sich lassen. Durch diese beiden Strategien werden Sie nach und nach immer weniger demotivierende Situationen und demotivierende Menschen in Ihrem persönlichen Umfeld haben.

Eines der gängigsten Beispiele aus meiner Beraterpraxis ist, Information als Machtinstrument zu missbrauchen: Da informiert der Chef seine Mitarbeiter nicht, um sie absichtlich unwissend zu halten. Aus dem gleichen Grund lassen die Mitarbeiter selbst wichtige Informationen unter den Tisch fallen. Die einzige wirksame Strategie dagegen ist, diesen Menschen den Vorteil klarzumachen, den sie daraus ziehen, wenn sie andere durch Wissen aktiv unterstützen.

Demotivatoren abbauen – Motivatoren aufbauen: Wenn Sie nach diesem Prinzip vorgehen, erreichen Sie schnell die Champions League hervorragend motivierter Menschen. Beschäftigen Sie sich also mit Ihren Motivatoren – was motiviert Sie am meisten in Ihrem Leben?

Übung 43: Was motiviert mich?

Stellen Sie ein Liste zusammen von allem, was Sie motiviert. Das können sowohl Menschen als auch Ereignisse sein. Schreiben Sie alles auf – lassen Sie nichts aus.

Formen der Motivation

Bei der Motivation unterscheiden wir zwischen Selbstmotivation und Fremdmotivation. Selbstmotivation heißt, was will ich. Fremdmotivation heißt, was will der andere. Sie führt auf lange Sicht stets zu Demotivation. Vielleicht strengen Sie sich in Ihrem Job mehr an, wenn Ihnen Ihr Boss im Monat zweihundert Euro mehr zahlt. Aber wie lange hält diese Fremdmotivation einer Gehaltserhöhung an? Schon bald benötigen Sie die nächste. Gehaltserhöhungen und Incentives führen niemals zu dauerhaftem Erfolg.

Dazu eine kleine Geschichte: Ein blinder Mann sitzt bettelnd auf der Straße. Als Kinder ihn hänseln und auslachen, reicht er ihnen einen Euro und bittet sie, am nächsten Tag wieder zu kommen. Dann würden sie 50 Cent erhalten. Darauf sind die Kinder empört: Also für 50 Cent, sagen sie zum blinden Mann, lachen wir dich nicht aus.

Was lernen wir daraus? Durch Fremdmotivation sinkt die Selbstmotivation. Am Anfang trieben die Kinder ihr Spiel ohne Geld. Der schlaue blinde Mann sorgte mit dem Geschenk dafür, dass sie dazu nicht länger motiviert waren.

Auch andere Fremdmotivationen schlagen auf lange Sicht fehl. Die Demotivation durch Zwang beziehungsweise Bestrafung – »tu das nicht, sonst bestrafe ich dich« – hat die selbe Halbwertszeit wie die Fremdmotivation durch Geschenke. Soziologen sprechen von der Gewalt-Spirale, die entsteht, weil die Ausübenden von Zwang immer wieder eines draufsetzen müssen.

In einem deutsch-indischen Projekt, das ich coache, sind die indischen Teilnehmer extrem selbstmotiviert. Der Grund ist klar: Sie kennen Armut und arbeiten so wie Deutsche der Gründergeneration.

Fremdmotivation durch Aufmerksamkeitsentzug wird gerne in innerbetrieblichen Mobbing-Strategien eingesetzt: Machst du nicht mit, grenzen wir dich aus. Die Folgen sind fatal. Die meisten Fremdmotivationen können wir durch die 5 Bs zusammenfassen: Bedrohen, Bestrafen, Bestechen, Belohnen und Belobigen. Sie alle sind zum Scheitern verurteilt. Denn die Inflation des Mehr führt zwangsläufig in die Sackgasse. Zur inneren Kündigung. Zum Burn-Out-Effekt. Oder in andere Krankheiten.

Weshalb unsere Eigenmotivation trotzdem ein mühsames Geschäft sein kann, wird klar, sobald wir wissen, dass gleich drei Bedingungen eintreffen müssen, damit wir motiviert sind. Wir sind nur motiviert

- wenn wir die Aufgabe können
- wenn wir die Aufgabe wollen
- wenn wir zur Bewältigung der Aufgabe die Erlaubnis haben

Möchten Sie beispielsweise uns zwei Autoren ohne Sauerstoffflaschen auf den Mount Everest schicken, stoßen Sie auf wenig Gegenliebe. Wir sind nicht motiviert, weil wir es nicht können. Wir sind nicht motiviert, weil wir es nicht wollen. Wir sind nicht motiviert, weil wir es nicht dürfen, denn auch unsere Lebenspartner haben da ein Wörtchen mitzusprechen. Bei diesem Buch dagegen kannte unsere Selbstmotivation keine Grenzen: Wir waren motiviert, weil wir es können, es wollten, und glücklicherweise hat es uns auch niemand verboten.

Möglicherweise können Sie etwas nicht, weil Sie sich nicht der Mühe des Erlernens unterzogen haben. Oder der Fall ist so gestrickt: In Ihrer Firma kennt man Sie als den Computer-Crack, und deshalb sollen Sie sich neben Ihrer Arbeit auch um die kleinen und großen Pannen des Alltags kümmern. Nur haben Sie dazu keine Lust – ganz einfach, weil Sie nicht wollen.

Das »Dürfen« ist häufig einer der Punkte, weshalb Sie mitunter in den Seilen hängen, obwohl Sie die Sache doch mit heißem Herzen wollen: Vielleicht dürfen Sie sie nicht, weil Ihr Vorgesetzter, Ihr Partner, Ihre Verwandten oder sogar Sie selbst etwas dagegen haben. »Dürfen« hängt von Hierarchien ab, von der Frage: Wer ist der Mächtige?

Das Prinzip ist also klar: Sind »Wollen«, »Können« und »Dürfen« nicht deckungsgleich, findet keine Selbstmotivation statt. Fragen Sie sich daher: Wie oft finden Sie diese Deckungsgleichheit bei der Vielzahl der Aufgaben, die Sie täglich zu bewältigen haben?

Nicht allzu häufig, vermutlich. Und dann passiert es

manchmal noch, dass wir zwar Deckungsgleichheit haben – und trotzdem fehlt uns der nötige Schwung. Was ist passiert? Nun, »Können«, »Wollen« und »Dürfen« hängen von einer Vielzahl anderer Faktoren ab.

»Können« beispielsweise bedeutet *Leistungsfähigkeit*. Dazu gehört unser persönlicher Fitness-Grad. Wie schnell ermüden wir? Wie stark ist unsere Kondition, unser Durchhaltevermögen? Wie ernähren wir uns? Welche Medikamente brauchen wir, welche Nebeneffekte schwächen uns? Wie groß sind unsere Merkfähigkeit und unsere Auffassungsgabe? Wie gut ist unsere Kontaktfähigkeit? Es kommt vor, dass wir glauben, etwas zu »können«, dabei haben wir noch nicht einmal die Hausaufgaben gemacht. Und unsere Motivation bleibt zur großen Verwunderung aller schnell auf der Strecke.

»Wollen« bedeutet *Leistungsbereitschaft*. Sie werden nur dann wirklich bereit sein, wenn Sie Ihre Motive in der Aufgabe wiederfinden. Aus diesem Grund müssen Sie Ihre Motive und Ihre Ziele genau kennen – sonst findet »Wollen« niemals statt.

»Dürfen« bedeutet *Leistungsmöglichkeit*. In jedem von uns steckt eine Menge Leistungspotential und Wille. Doch geben wir uns und anderen die Möglichkeit, dieses Potential auszuschöpfen? Und: Erlauben es unsere Mitmenschen? Was uns selbst angeht, liegt es in unserer Hand. Geben Sie sich also den Freiraum, den Sie für Ihre Motive brauchen! Ihren Mitmenschen gegenüber sollten Sie stets die Spielregeln klären. Eine häufige Aussage in Seminaren ist: Ich will schon, aber ich darf nicht. Auf Nachfrage stellt sich schnell heraus, dass das gar nicht stimmt.

Weil nie die Spielregeln abgefragt wurden, basierte »ich darf nicht« auf reiner Vermutung.

Was Sie brauchen sind echte Herausforderungen

Herausforderungen gab's schon viele in unserem Leben. Die Mathe-Arbeit, der Sprung vom Dreimeter-Brett, der erste Kuss, die Führerscheinprüfung, die Suche nach einer Arbeitsstelle, die Gehaltsverhandlung, die Auslandsreise.

Gehen wir einmal davon aus, dass Sie in Ihrer Firma vor einer Herausforderung stehen, bei der Sie können, wollen und dürfen. Sie bringen alles mit, was zur guten Motivation gehört, machen sich frisch und frank ans Werk, und nach einiger Zeit geht Ihnen trotzdem die Luft aus. Dann gehören Sie möglicherweise zu den 75 % aller Arbeitnehmer, die ständig unterfordert sind. Aus der Sport-Soziologie weiß man, wie wichtig die exakte Skalierung der nächsten Herausforderung eines Athleten sein muss, um sein Leistungspotential zu steigern. Erfahrene Trainer wissen, in welchem Maße sie ihre Schützlinge fordern müssen. Ganz anders sieht es dagegen in deutschen Unternehmen aus: Unter- und Überforderung sind an der Tagesordnung. Ständige Überforderung führt zum Burn-Out-Syndrom. Ständige Unterforderung führt zu Demotivation und innerer Kündigung. Die sich häufig in einer echten Kündigung manifestiert: Bei fast einem Fünftel aller Stellenwechsel ist Unterforderung der Grund. Eine Menge Potential, das völlig unnötig verloren geht und sich in hohen Personalkosten und gestörten Betriebsabläufen niederschlägt.

Ziele, die Sie erreichen wollen, sollen für Sie echte Herausforderungen sein. Formulieren Sie daher Ihre Ziele herausfordernd, positiv, konkret, glaubhaft, mit einem Zeitrahmen versehen – und schriftlich. Und das machen wir jetzt.

Übung 44: Meine beruflichen Ziele für das laufende Jahr

Erstellen Sie eine Liste Ihrer Ziele. Herausfordernd, positiv, konkret, glaubhaft, mit einem Zeitrahmen versehen, unter der Prämisse, dass Sie diese Ziele wollen, können und dürfen.

Übung 45: Meine privaten Ziele für das laufende Jahr

Gehen Sie genauso vor. Formulieren Sie auch Ihre privaten Ziele herausfordernd, positiv, konkret, glaubhaft, mit einem Zeitrahmen versehen, unter der Prämisse, das Sie sie wollen, können und dürfen.

Ihre Ziele können Sie kurzfristig, mittelfristig oder langfristig erreichen – je nach Auslegung des Ziels. Ihr Erfolg wird keine Grenzen kennen, wenn es Ihnen gelingt, nicht nur Ihre kurzfristigen, sondern auch Ihre mittel- und langfristigen Ziele auf diese Weise darzustellen. Dabei sprechen wir von Visionen – positive Bilder Ihrer ganz persönlichen Zukunft. Das heißt, Sie sehen sich in der Situation, in der Sie das Ziel schon erreicht haben.

Eine Vision ist Ihr persönlicher Lebensentwurf. Ihr persönlicher Lebensentwurf bedeutet: Wie möchten Sie leben? Wenn Sie sich Ihr eigenes Leben kreieren, wie sieht es aus?

Übung 46: Mein persönlicher Lebensentwurf

Schreiben Sie auf, wie Ihr Leben sein soll. Achten Sie darauf, dass Sie dabei folgende Fragen beantworten: Welchen Stellenwert soll die Arbeit in Ihrem Leben einnehmen? Welchen Stellenwert soll Ihr privates Umfeld in Ihrem Leben einnehmen? Wie soll Ihre berufliche Tätigkeit idealerweise aussehen? In welchen sozialen Netzen wollen Sie sich engagieren und wie stark? Was möchten Sie bewegen? Ob etwas prinzipiell möglich ist oder nicht, spielt zunächst einmal überhaupt keine Rolle.

Übung 47: Mein persönlicher Lebensentwurf versus meine Selbstmotivation

Nun haben Sie es schwarz auf weiß, wie Ihr Leben nach Ihren Wünschen aussehen soll. Beschäftigen wir uns jetzt mit den Hindernissen. Zunächst einmal mit Ihrer Selbstmotivation. Gehen Sie Ihren Entwurf Punkt für Punkt durch und fragen Sie sich:

- Können Sie das?
- Wollen Sie das?
- Dürfen Sie das?

Können bedeutet: Bin ich für meine Vision schon kompetent genug? Wenn nicht, was muss ich erst lernen, um mein Leben so leben zu können?

Wollen bedeutet: Will ich diese Vision wirklich so leben, oder will ich es beispielsweise nur, weil andere sie mir vormachen?

Dürfen bedeutet: Darf ich meine Vision leben, und wenn nicht, wen muss ich davon überzeugen?

Wenn Sie Ihre Vision in diesem Sinne überdacht haben, können Sie sich an die nächste Übung machen. Konkretisieren Sie das Ergebnis in einer Zielvorgabe.

Übung 48: Meine beruflichen Ziele für die nächsten fünf Jahre

Schreiben Sie einen Satz wie folgt: In fünf Jahren werde ich … sein.

Übung 49: Meine privaten Ziele für die nächsten fünf Jahre

Schreiben Sie einen Satz wie folgt: In fünf Jahren werde ich ... sein.

Visions-Übungen helfen uns, das vor uns zu sehen, was wir noch erreichen möchten. Sie helfen uns, neues Können und neues Wissen erwerben. Damit wir ein Leben wagen, was wir uns sonst nur erträumen. Davor haben die Götter allerdings den Schweiß gesetzt. Und der heißt: Handeln. Treten Sie in Aktion. Tun sie es. Es ist ganz einfach: Wenn Sie nichts tun, wird auch nichts passieren. Die nötige Disziplin, die es zum Handeln braucht, wird sich einstellen. Denn Disziplin ist einzig und allein eine Frage Ihrer Zielbewusstheit. Wenn Sie Ihr Ziel klar vor Augen haben, können Sie es gar nicht abwarten, den nächsten Schritt zu unternehmen.

Sieben entscheidende Tipps für selbstmotivierte Menschen

Die Sache ist klar: Sie haben eine Vision. Sie haben ein Ziel. Sie sind selbstmotiviert, das heißt, Sie wollen, können und dürfen. Sie kommen noch einfacher ans Ziel, wenn Sie sich diese Fragen stellen:

1. Trete ich selbst in Aktion?
2. Kenne ich die besten Mentoren und Vorbilder?

3. Bin ich im Geist schon wie sie?
4. Spreche ich über meine Visionen mit anderen Menschen?
5. Identifiziere ich mich komplett mit meinem Ziel?
6. Halte ich meine Fortschritte schriftlich fest?
7. Tue ich alles, um meinen Erfolg zu fördern, von gesunder Ernährung über Sport bis zur Erweiterung meines geistigen Horizontes?

Was Sie in diesem Kapitel gelernt haben

Selbstmotivation ist ein komplexer Vorgang. Die tägliche Selbstmotivation wird Ihnen aber leicht von der Hand gehen, wenn Sie folgende Punkte verinnerlichen:

- Finden Sie heraus, was Sie in Ihrem Leben wirklich erreichen wollen.
- Formulieren Sie daraus echte Herausforderungen.
- Setzen Sie sich messbare Ziele.
- Bauen Sie Ihre Demotivatoren ab und stärken Sie Ihre Motivatoren.
- Motiviert sind Sie, wenn Sie können, wollen und dürfen.
- Lernen Sie die Spielregeln der Spiele, an denen Sie teilnehmen.
- Disziplin ist eine Frage Ihrer Zielbewusstheit.

Kapitel 6
SELBSTLIEBE

Liebe deinen Nächsten wie dich selbst, steht in der Bibel. Nun ist es schon schwer genug, unseren Nächsten zu lieben. Und jetzt auch noch uns selbst?

Sich selbst zu lieben, hat in unserer westlichen Gesellschaft das, was Schwaben ein »Gschmäckle« nennen. Damit gemeint ist etwas unausgesprochen Unanständiges. Eigentlich seltsam, nicht wahr? Dass wir den Menschen, der uns am allernächsten steht, nicht einfach lieben können? Dass wir ihn nicht so annehmen, wie er ist? Dass wir ihn stattdessen schikanieren, wo es nur geht: Mit viel zu viel Arbeit. Mit viel zu wenig Schlaf. Mit massig Junk Food. Und zu wenig Sport. Oder auch zu viel, je nach Lebensauffassung. Mit Alkohol, mit Zigaretten, mit Medikamenten oder sogar Drogen. Würden wir unseren besten Freund oder unsere beste Freundin so behandeln, wie wir uns behandeln? Nein. Da sind wir umsichtiger. Aber in diesem Fall geht's ja nur um uns. Selbstliebe können wir das jedenfalls nicht nennen.

Dabei ist die bedingungslose Liebe zu uns selbst ein wichtiger Schritt auf unserem Weg zur Selbstverwirklichung. Nur wenn wir alle Menschen so lieben und wertschätzen, wie sie sind, erreichen wir das große Ziel. Und zu diesen ›allen‹ gehören natürlich auch wir selbst. Selbstliebe ist das gute Gefühl, morgens aufzustehen und sagen zu können: »Schön, dass es mich gibt!« Das hat nichts mit Narzissmus oder Egoismus zu tun. Stattdessen sehr viel mit Akzeptanz und Wertschätzung. Was aber passiert, wenn wir uns morgens schon fragen: »Warum zum Teufel stehe ich überhaupt noch auf?« Selbstliebe ist also auch ein Indikator, wie stimmig wir mit uns selbst und unserer Umwelt sind.

Der treue Freund des Menschen

Hunde gehören seit Jahrtausenden zu den treuesten Begleitern des Menschen. Denn ein Hund liebt immer bedingungslos. Selbst wenn er von seinem Besitzer geschlagen wird. Selbst wenn er von ihm ausgesetzt wird. Selbst wenn er von ihm mit dem Tod bedroht wird. Es gibt Menschen, die genau diesen Charakterzug von Hunden nicht mögen. Man nennt das »den eigenen Mangel im anderen erkennen«. Wer selbst mit bedingungsloser Liebe ein Problem hat, wird von einem Hund täglich daran erinnert.

Natürlich sollen wir uns weder schlagen lassen noch in Erwartung ernster Gefahren ohne Wahlmöglichkeit verharren. In diesem Beispiel geht es auch nur um den wichtigen Begriff der bedingungslosen Liebe. Denn in meinen Seminaren werde ich regelmäßig mit Konstellationen konfrontiert, in denen Mitarbeiter ihre eigenen Mängel nur bei anderen sehen. Deshalb werfen sie in Konfliktsituationen ihren Kollegen die eigenen Defizite vor. Die Psychologie nennt das Projektion und Verschiebung. Der Grund dafür ist, dass wir verlernt haben, unsere Mängel anzunehmen. Die bedingungslose Liebe – auch zu uns selbst – funktioniert nicht in unserer hochgezüchteten Wir-müssen-jeden-Tag-funktionieren-Gesellschaft.

Wenn es schon so schwer ist, andere Menschen bedingungslos zu lieben, wie können wir es bei uns selbst schaffen? Warum gelingt uns Selbst-Liebe nur, wenn wir endlich den verdammten Halbmarathon packen? Wenn wir Stück für Stück die Karriereleiter hochklettern, das Eckbüro bekommen, genug Prämie zusammenackern, um das neue Auto zu kaufen? Wenn wir endlich, endlich, das überteuerte Haus abgestottert haben?

In einer der Geschichten aus den »Lettres de mon Moulin« des französischen Schriftstellers Alphonse Daudet lebt der Held in einer Mühle vor den Toren von Avignon. Den lieben langen Tag macht er nichts anderes, als die Sonne zu genießen, seinen Gedanken nachzuhängen und mit den Nachbarn zu plaudern. Kurzum: Er lässt den lieben Gott einen guten Mann sein. Und ist dabei mit sich völlig im Reinen. Dieses Verhalten bringt seine nächste Umgebung ordentlich auf die Palme. Wie kann jemand, fragen sich die Leute, der keinerlei Bedingungen an sich stellt, so unverschämt zufrieden sein? Wie kann jemand, der scheinbar nichts will und nichts erreicht, so glücklich sein? Um das zu begreifen, müssen wir unser Jahrhunderte altes Weltbild auf den Kopf stellen. Hm. Nichts leichter als das.

Und? Was machen Sie so?

Wenn wir heute mit einem fremden Menschen ins Gespräch kommen, landen wir nach kurzer Zeit beim Kernsatz der westlichen Industriegesellschaft. Wir fragen: »Und was machen Sie?« und meinen damit: »Was arbeiten Sie? Welchen Beruf üben Sie aus?«. Menschen unseres Kulturkreises definieren sich und andere in erster Linie über ihre Arbeit. Deshalb müssen wir uns mächtig anstrengen, um auf Liebe – wenn auch bedingter Art – zu stoßen. Der Antwort »Steuerprüfer« im Kreise Selbstständiger wird das nicht gelingen. Die Antwort »Steuerberater« hat dagegen mehr Chancen. Die Antwort »Astronaut«, gefolgt vom Satz »komme gerade aus dem Orbit zurück«, wird den Rest der Partygäste verstummen lassen – dieser Beruf ist schwer zu toppen, und an diesem Abend ist unserem Astronauten sein Anteil bedingter Liebe gewiss. Wir können uns unsere eigenen Gedanken darüber machen, wie es kommen konnte, dass dem Beruf »Model« in der Regel mehr bedingte Liebe entgegen gebracht wird als dem Beruf »Krankenschwester«.

Aus der Sehnsucht nach bedingter Liebe in Form von gesellschaftlicher Anerkennung durch den Beruf ist ein gnadenloser Wettstreit geworden. Der Astronaut unter den Partygästen hat noch leichtes Spiel. Der Astronaut beim Astronauten-Ehemaligen-Treffen schon nicht mehr.

Denn es gibt immer einen, der häufiger um die Erde kreiste, öfter zum Mond flog, als Erster den Mars betreten wird. Deshalb müssen wir unsere Anstrengungen täglich steigern, um unsere Ration bedingter Liebe in beruflicher Hinsicht zu erhalten. Doch was ist, wenn bei diesem Wettlauf einer nicht mehr mitspielt? Unser Körper, zum Beispiel? Oder unsere Nerven? Unser ganzer Organismus? Dann treten wir uns kräftig in den Hintern. Wäre doch gelacht. Legen wir noch 'ne Schippe drauf. So lange, bis es irgendwann gar nicht mehr geht.

Die einen nennen das Burn-Out.

Die anderen haben diesen Kampf sowieso nicht überlebt.

Die Frage ist: Gehen wir so mit jemandem um, den wir lieben?

Gewiss nicht.

Aber, halt: Wir lieben uns gar nicht, stimmt's? Also können wir ruhig noch 'ne Schippe drauflegen.

Übung 50: Welche Menschen meiner Umgebung liebe ich bedingt, welche liebe ich bedingungslos?

Nehmen Sie ein Blatt Papier, und machen Sie in die Mitte einen dicken Punkt. Das ist das Zentrum Ihrer bedingungslosen Liebe. Schreiben Sie jetzt alle Menschen auf das Blatt, die Ihnen wichtig sind. Die Menschen, von denen Sie glauben, Sie lieben sie aufgrund einer Bedingung, setzen Sie weiter außen, in die Peripherie des Blattes. Bedingungen könnten zum Beispiel sein: Ich liebe diesen Menschen aufgrund seines Erfolgs. Wegen seiner Position. Weil er mir eine Option bietet. Weil er für mich wichtig sein kann. Weil er schön ist. Oder reich. Oder beides. Weil er so tolle Witze reißt. Spüren Sie tief in sich hinein: Je mehr Sie fühlen, dass Sie diesen Menschen auch ohne Bedingung lieben, desto näher rücken Sie seinen Namen ins Zentrum. Je mehr Sie spüren, dass Sie diesen Menschen nur aufgrund von Bedingungen lieben, desto weiter rücken Sie seinen Namen vom Zentrum ab.

Nehmen Sie sich für diese Übung genügend Zeit. Und machen Sie sie ganz ehrlich. Dann erhalten Sie eine klar strukturierte Übersicht, welche Menschen wo für Sie stehen.

Übung 51: Welche Menschen meiner Umgebung lieben mich bedingt?

Sie haben es wahrscheinlich geahnt: Erstellen nun Sie eine Liste mit den Namen der Menschen, von denen Sie glauben, diese Menschen lieben Sie wegen einer Bedingung, die Sie erfüllen. Weil Sie diesen Menschen nützlich sein können, weil Sie als erfolgreich gelten, weil Sie immer so tolle Witze reißen, kurz: weil Sie irgendeine Bedingung erfüllen.

Übung 52: Welche Menschen meiner Umgebung lieben mich bedingungslos?

Listen Sie die Menschen auf, von denen Sie glauben, diese Menschen lieben Sie bedingungslos: einfach, weil es Sie gibt.

Nehmen Sie nun die beiden Listen. Was sehen Sie? Vielleicht finden Sie wenige oder gar keine Namen dort, wo die bedingungslose Liebe zu Hause ist. Vermutlich finden Sie auch einige Namen in Positionen, die Sie überraschen. Auch das Bild aus Übung 50 wird Ihnen ein ähnliches Ergebnis vermitteln. Was Sie jetzt auf gar keinen Fall tun sollten, ist, Bewertungen vorzunehmen oder Schuldzuweisungen. Selbst wenn Sie erstaunt oder möglicherweise traurig oder wütend sind, weil Sie ein sehr naher Mensch vielleicht nur bedingt liebt. Selbst wenn Sie entdecken, dass auch Sie einen sehr nahen Menschen nur bedingt lieben. Tatsächlich setzen selbstverwirklichte Menschen ihre nächsten Mitmenschen ins Zentrum des Bildes. Im selbstverwirklichten Zustand lieben wir stets bedingungslos. Lassen wir es einfach mal so stehen: Selbstverwirklichung, das ist eine richtig harte Nuss.

Diese Nuss wird auch andersherum gesehen nicht weicher: Eine Menge Menschen lieben auch uns nur bedingt. Was also ist die Lösung? Die Lösung ist, bedingungslose Liebe als Chance zu betrachten: eine Chance für uns. Das heißt, bei keinem anderen Menschen können wir das Unternehmen bedingungslose Liebe so gut starten wie bei uns selbst. Klappt das, klappt im Umkehrschluss auch die Sache mit der Nächstenliebe. Lieben wir uns selbst bedingungslos, werden wir auch unsere Nächsten bedingungslos lieben.

Bedingungslose Liebe beginnt also vor der eigenen Haustür. Und genau da fangen wir auch an. Welche Bedingungen stellen Sie an sich, damit Sie sich selbst lieben?

Übung 53: Unter welchen Bedingungen liebe ich mich selbst?

Listen Sie Ihren sogenannten Ist-Zustand auf: Alle Bedingungen, die Sie an sich stellen, damit Sie sich zufrieden, ausgeglichen, glücklich fühlen – kurz: damit Sie sich selbst lieben.

Ich liebe mich selbst, wenn ich ...

Übung 54: Unter welchen Bedingungen würde ich mich selbst mehr lieben?

Listen Sie nun Ihren Soll-Zustand auf: Alle Bedingungen, unter denen Sie sich zufriedener, ausgeglichener, glücklicher fühlen würden.

Ich würde mich selbst viel mehr lieben, wenn ich ...

Vergleichen Sie: Welche Liste ist länger, welche kürzer? Ist die Liste Ihres Soll-Zustands länger, fühlen Sie sich vom Leben enttäuscht. Sie haben große Erwartungen, die bisher nicht eingelöst wurden. Ein zu großer Unterschied zwischen Ist und Soll ist immer ein wichtiger Grund, weshalb wir kein Glück verspüren. Alphonse Daudets Held vor seiner Mühle bei Avignon pfiff auf diesen Unterschied. Er machte seiner Umgebung klar: Ich bin glücklich, weil ich bin. Wie können wir dieses Nirvana erreichen?

Die überraschende Antwort ist: In den meisten Fällen tragen wir es schon in uns! Der Grund dafür liegt im Menschen selbst. Denn in bestimmten Phasen unseres wachen Tages befinden wir uns in einer Art Trance, die wir den Alpha-Zustand nennen. Das ist ein Zustand, in dem wir entspannt sind und der Fokus mehr nach innen gerichtet ist, wie beim Tagträumen oder Meditieren. Erinnern Sie sich zum Beispiel an Ihre letzte längere Autofahrt? Aufgrund des Alpha-Zustands fallen Ihnen später nur noch wenige Highlights ein. Zum Beispiel die rote Ampel, die Sie überfuhren. Die Pause, die Sie einlegten. Der Moment, als es Ihnen gelang, auf einen Schlag acht LKWs zu überholen.

In dieser Trance, in diesem Alpha-Zustand, liebt der Mensch sich stets bedingungslos. Weshalb? Weil ihm das seit Jahrtausenden das Überleben in einer oft feindlichen Umgebung gesichert hat. Weil er weiß, dass er sich in diesem Zustand voll und ganz auf sich verlassen kann, ohne die schwächenden Einflüsterungen seines Verstandes.

Den Rest des Tages befinden wir uns in einem Zustand, in dem wir Vorgänge ganz bewusst wahrnehmen. Genau in dieser bewussten Zeit fällt uns dann ein, was wir nicht an uns mögen. Dass wir es im Vergleich zu anderen nicht sehr weit gebracht haben. Dass wir so viele Wünsche offen haben, aber so wenig Geld. Dass wir krank sind, doch uns Krankheit nun wirklich nicht leisten können. Dass wir uns hässlich finden. Und dumm. Und und und.

Diese Fähigkeit zur Selbstreflexion haben Tiere nicht. Uns dagegen spaltet sie. Wir sind im Kopf, also im Bewusstsein, nicht da, wo wir im Bauch, also im Unbewussten, schon sind. Im Unbewussten lieben wir uns bedingungslos. Im Bewussten dagegen nur bedingt. Unsere Aufgabe ist daher zu lernen, uns im Bewussten so zu lieben, wie wir es im Unbewussten schon tun.

Selbstreflexion – oder die Sache mit dem Schatten

Auf der langen Autofahrt nach Hause flüstert uns keine Stimme zu, dass wir eigentlich 15 Pfund zu viel auf den Rippen haben. Doch kaum zu Hause, werfen wir im Badezimmer einen Blick in den Spiegel, und da ist es auch schon, unser Bewusstsein. Laut und deutlich tönt es: »Ganz schöner Schwabbel, den du mit dir rumschleppst, mein Lieber. Dabei hast du dir ernsthaft vorgenommen, abzunehmen. Na, weit hast du's nicht gebracht.«

Da haben wir ihn, den Unterschied zwischen Ist und Soll. Und das, obwohl wir gelernt haben, dass echte Selbstmotivation ohnehin nur mit konkreten Zielen funktioniert. Aber da ist einfach noch etwas. Tief in uns lauert es auf unsere physisch und psychisch schwachen Stunden, und wenn die kommen, springt es uns aus dem Hinterhalt in den Nacken. Wir nennen das Phänomen der Einfachheit halber ›unseren Schatten‹. Und dieser Schatten kann uns ganz schön piesacken. Der Schweizer Tiefenpsychologe Carl Gustav Jung hat in seinen bahnbrechenden Arbeiten dafür eine Erklärung gefunden. Sie heißt Anima und Animus.

Um was geht's? Wir alle sind mit einem kompletten Satz männlicher Eigenschaften sowie einem kompletten Satz weiblicher Eigenschaften ausgestattet. Dabei ist Animus das männliche Element im weiblichen Unbewussten und Anima das weibliche Gegenstück im männlichen Unbewussten. Für unser inneres Gleichgewicht, die sogenannte Mitte, brauchen wir beide. Unabdingbar. Doch Erziehung und gesellschaftlicher Druck sorgen dafür, dass wir unsere gegengeschlechtlichen Eigenschaften unterdrücken. Das führt zu emotionalen und bei manchen Menschen sogar zu körperlichen Problemen. Denn diese unterdrückten Eigenschaften führen in uns ein Eigenleben. Es findet als Animus und Anima ihren Ausdruck in unseren Träumen und Phantasien.

Was also ist unser Schatten? Dazu gehören all die Dinge, die wir an uns nicht ausstehen können und deshalb unterdrücken. Unsere Unzulänglichkeiten. Unsere Eigenschaften, die uns Angst vor uns selbst einjagen. Unsere dunklen Geheimnisse, die wir nicht einmal uns selbst eingestehen. Tief sitzende Traumata oder Schuldgefühle. Alles, was keiner wissen soll, wird von unserem Schatten repräsentiert. Da kann es ganz schön rumoren. Schenken wir ihm trotz aller Rumorerei keine Beachtung, wird er zu einer ausgesprochen zerstörerischen Kraft.

Das ist jedoch nur die eine Seite unseres Schattens. Es gibt auch noch eine zweite. Denn unsere Psyche ist einerseits von Gedanken und Gefühlen erfüllt, die wir unterdrücken, ignorieren oder schlicht vergessen haben. Weil wir glauben, dass wir sie nicht zeigen dürfen. Doch andererseits ist sie auch erfüllt mit unserem noch unerkundeten Potential. Das kann die Fähigkeit sein, Zuneigung zu empfinden, was nie erlaubt wurde. Das kann eine besondere Begabung sein, die stets unterdrückt wird. Eine extreme Sensibilität, der Wunsch, sich auf ganz andere Weise zu verwirklichen. Es kann all das sein, was uns weiter bringen könnte, was wir aber dennoch nicht zulassen.

Was auch immer unser Schatten ist: Er will zum Licht des Bewusstseins emporsteigen. Stellen Sie sich Ihren Schatten in eine Tonne eingesperrt vor, die im Laufe Ihres Lebens immer voller wird. Sie halten den Deckel drauf, doch der Druck innen wird größer und größer. Irgendwann reicht Ihre Kraft nicht mehr aus. Die Tonne explodiert, der Deckel knallt in die Luft. Wir alle haben das schon erlebt: Wenn uns der Kragen platzt. Wenn wir Rot sehen. Wenn wir die Sau rauslassen. Der Volksmund hat viele Umschreibungen dafür gefunden. Kommt schließlich häufig genug vor. Nun sind Explosionen für den Menschen nicht gerade gesund. Warum also auf das Explodieren der Tonne warten? Warum dem Schatten nicht den Weg zum Licht selbst ebnen? Er wird ihn ohnehin finden, so oder so. Haben Sie also keine Angst davor: Ihr Schatten gehört zu Ihnen wie Ihr Körper. Er macht Ihr Leben reicher, nicht ärmer. Nur durch ihn werden wir zu einem vollständigen Charakter.

Erinnern Sie sich an das Kapitel 2 über das Selbstwertgefühl? Um uns selbst wert zu fühlen, haben wir gelernt, unsere kleinen Schwächen anzunehmen. Sie sind auch Teil unseres Schattens. Wir lassen sie aus der Tonne, weil wir erkannt haben, unsere soziale Umgebung liebt uns häufig genau deswegen. Wegen einer Bedingung, die wir erfüllen. Warum also unterdrücken wir die großen Schwächen? Weil sie häufig mit den Tabus unserer Gesellschaft oder unserer sozialen Umgebung verbunden sind. Und weil unsere über viele Generationen überlieferte Vermeidungsangst größer ist als unser Hang zur Selbstliebe, hauen wir den Deckel der Tonne zu und hocken uns obendrein noch drauf. Der Druck steigt trotzdem. Und es bleibt nur ein Schluss: Wir werden uns nur selbst lieben können, wenn wir auch unseren Schatten lieben.

Deshalb müssen wir uns mit ihm beschäftigen. Das machen wir Schritt für Schritt, ganz behutsam.

Übung 55: Mein Launen-Meter

Als Reflexion, wie wir uns täglich fühlen, basteln wir uns ein Launen-Meter. Das ist ganz einfach: Geben Sie Ihrer Laune jeden Tag einen Punkt zwischen 0 und 10. Geben Sie sich 0 Punkte, wenn's Ihnen ganz bescheiden geht. Geben Sie sich 10 Punkte, wenn Sie sich blendend fühlen. Wichtig dabei sind zwei Dinge: Geben Sie sich die Punkte aus dem Bauch heraus. Und machen Sie diese Übung einen Monat lang.

Übung 56: Wo belüge ich mich selbst?

Im Laufe eines Lebens entwickeln wir viele Strategien für den Umgang mit dem Schatten. Eine der beliebtesten ist, sich selbst zu belügen. Da haben wir uns ernsthaft vorgenommen, mit dem Rauchen aufzuhören, aber heute klappt's nicht. Morgen vielleicht. Und wenn nicht, dann übermorgen. Nein, am besten ab Silvester. Da wollen wir ohnehin auch anfangen, abzunehmen. Nachdem wir unserem Partner die Affäre gebeichtet haben.

Sie merken, hier geht es ans Eingemachte. Es wird nicht ganz leicht für Sie, diese Liste zu erstellen. Machen Sie es trotzdem. Übrigens: Diese Bestandsaufnahme geht wirklich nur Sie etwas an.

Übung 57: Die Entdeckung der Langsamkeit

Wenn Sie häufiger meditieren, wissen Sie, wie sehr der Schatten in der Tonne rumort, sobald wir innere Ruhe suchen. Selbst wenn Sie nicht meditieren, kennen Sie das Phänomen: Kaum haben wir Urlaub, werden wir krank. Kaum ist Weihnachten, streiten wir mit unserem Partner. Das ist einer der Gründe, weshalb wir uns ständig mit etwas beschäftigen: Um das Rumoren des Schattens zu übertönen. Und wenn er schreit »lass mich raus«, schreien wir einfach lauter. Wem wohl zuerst die Luft ausgeht?

Stecken Sie eine Wegstrecke ab, die ungefähr 50 Meter lang ist. Sie müssen das Ziel deutlich sehen. Gehen Sie nun diese Wegstrecke ganz langsam ab. Schritt für Schritt für Schritt. Sie sollten mindestens 20 Minuten dafür brauchen, aber benutzen Sie keine Uhr. Lassen Sie auf diesem Weg Ihren Gedanken freien Lauf. Spüren Sie in sich hinein, was passiert.

Diese Übung ist wichtig, um in unserer hektischen Welt einmal zu erfahren, wie sich Zeit ziehen kann. Sie werden staunen! Am meisten haben Sie von dieser Übung, wenn Sie sich von Beginn an auf die Begriffe »Achtsamkeit« und »Selbstliebe« konzentrieren.

Nachdem Sie diese Übung beendet haben, können Sie sich auch eine Beschäftigung suchen, die Sie häufiger ausführen. Zum Beispiel den Wagen waschen, den Briefkasten leeren, Gemüse putzen, was auch immer. Machen Sie diese Tätigkeit beim nächsten Mal in Zeitlupe. Das heißt gaaaanz laaaangsam. Versuchen Sie dabei, an nichts anderes zu denken als an diese Tätigkeit.

Übung 58: Pssst! Stille!

Auch diese Übung fangen Sie langsam an. Wenn Sie, wie wir es Ihnen empfehlen, dieses Kapitel in drei Wochen durcharbeiten, finden Sie die richtige Steigerungs-Dosis. Die Übung ist: Verbringen Sie heute eine Minute in totaler Stille. Sie werden feststellen, das ist gar nicht so leicht. Sie werden auch etwas dafür unternehmen müssen. Handy aus, Computer aus, Radio ..., einfach alles aus, das sind die ersten Voraussetzungen. Was Sie sonst noch tun müssen, liegt an Ihrer Umgebung. Steigern Sie sich dann wie folgt:

1. Tag	1 Minute Stille
2. Tag	2 Minuten Stille
3. Tag	4 Minuten Stille
4. Tag	8 Minuten Stille
5. Tag	16 Minuten Stille
6. Tag	32 Minuten Stille
7. Tag	64 Minuten Stille

Übung 59: Ich schweige

Diese Übung wird Sie noch mehr mit Ihrem Schatten vertraut machen. Es ist eine Schweige-Übung. Sie können diese Übung in Ihren Alltag einbauen. Das wird vielleicht nicht ganz leicht – aber wer will, der kann.

Am besten, Sie widmen sich dieser Übung, nachdem Sie die letzte abgeschlossen haben. Die Übung heißt: Schweigen ist Gold. Also schweigen Sie. Und zwar ganz bewusst wie folgt:

1. Tag	halbe Stunde Schweigen
2. Tag	1 Stunde Schweigen
3. Tag	2 Stunden Schweigen
4. Tag	3 Stunden Schweigen
5. Tag	4 Stunden Schweigen
6. Tag	5 Stunden Schweigen

Übung 60: Und tschüss!

»The things you own, they end up owning you!« Was Tyler Durden in »Fight Club«, dem preisgekrönten Roman des amerikanischen Schriftstellers Chuck Palahniuk feststellte, können viele von uns bestätigen. Wir umgeben uns mit Dingen, die wir nicht brauchen, die uns aber eine Menge Energie rauben. Werfen Sie also Ballast ab. Bei dieser Übung dürfen Sie die nächsten zwei Wochen jeden Tag etwas wegwerfen, weggeben oder verschenken. Das macht rund 15 Gegenstände weniger, was Ihr Leben ein bisschen leichter machen wird. Denn nur wenn wir Ballast abwerfen, schaffen wir Platz für das Neue, das kommt.

Wie gesagt: Diese Übungen sind nicht ganz einfach. Stellen Sie sich darauf ein, dass Ihnen überraschende Dinge widerfahren. Ihr Schatten meldet sich zu Wort. Lassen Sie es zu. Haben Sie keine Angst. Er gehört zu Ihnen, er wohnt in Ihnen, heißen Sie ihn willkommen. Falls Sie bei den Übungen eine leise Stimme in sich hören, die Ihnen etwas zuflüstert, schreiben Sie es auf. Denn der Schatten repräsentiert auch alle Ihre Potentiale, die Sie bisher nicht genutzt haben.

Zerreißen Sie Ihre Schuldscheine

Jeder von uns hat es: Das kleine verborgene Kästchen mit unseren Schuldscheinen. Damit meinen wir die mehr oder weniger lange Liste von Menschen, die uns etwas angetan haben. Unsere Black List. Fragen Sie sich: Was bringt Ihnen die Genugtuung, am Schuldschein festzuhalten? Könnten Sie sich mehr lieben, wenn Sie den Schuldschein einfach zerreißen? Falls Sie sich für diesen Weg entscheiden, schreiben Sie die Schuld in einem einfachen Satz darauf. Anschließend zerreißen Sie ihn, ratsch, ratsch, in kleine Fetzen. Danach geht's Ihnen besser!

Eine Sucht heißt: Wir suchen etwas. Aber was?

Unser Schatten manifestiert sich auch in unseren Süchten. Viele Raucher bespielsweise behaupten, dass Rauchen ihnen eine Form von Energie vermittelt. Es stimmt sogar. Denn rauchen wir unsere 5-Minuten-Pause-Zigarette, dürfen wir für kurze Zeit unser Leistungsdenken vergessen. Das bringt Energie. Allerdings nur unter einem Bedingungsmuster.

Die Frage ist also: Beherrschen wir die Sucht, oder die Sucht uns? Wer viel Süßes isst, gönnt sich ansonsten wenig Süße im Leben. Wer supergesund lebt, liebt sich nur, solange er selbst seine hochgeschraubten Normen erfüllt. Eine Sucht – und damit unser Schatten – weist uns also immer auf einen Mangel in uns selbst hin. Etwas, das wir vernachlässigen.

Übung 61: Meine Sucht

Hand auf's Herz: Welcher Sucht oder welchen Süchten geben Sie nach? Listen Sie alle auf. Überlegen Sie sich anschließend, für welche Vernachlässigung diese Sucht oder diese Süchte stehen. Was können Sie sich an Stelle der Sucht gönnen?

Selbstliebe – das hat viel damit zu tun, sich selbst etwas zu gönnen. Sich selbst etwas wert zu sein. Der Satz »das ist zu gut für mich« darf in Ihrem Vokabular nicht vorkommen. Wie gesagt, wir sprechen nicht von Egoismus und Narzissmus. Falls Sie mit der Unterscheidung Schwierigkeiten haben, denken Sie stets: Alles, was Ihnen gut tut und Ihrer Umwelt nicht schadet, können Sie sich ohne Bedenken gönnen. Alles, was Sie sich wünschen, soll auch zum Wohle anderer sein.

Übung 62: Ich geb' Gas, ich hab' Spaß

Jeder von uns ist auf seine Weise vollkommen. Das ist das Geheimnis der Schöpfung. Doch viel zu selten nutzen wir alle Potentiale, die wir in uns haben. Wenn wir uns aber selbst nicht anerkennen, wie soll uns dann unsere Umwelt anerkennen? Fragen Sie sich daher: Wann erkenne ich mich selbst an? Oder anders gesagt: Wann habe ich am meisten Spaß? Erstellen Sie sich Ihre ganz persönliche Spaß-Liste. Alles, was darauf steht, soll auch Ihrer Umwelt nutzen. Also los, geben Sie Gas!

Erfolg erfolgt, wenn Sie sich selbst folgen

Viele Menschen haben Spaß, wenn sie selber wirken können. Wenn sie etwas tun, weil es ihr eigener Wille ist. Wenn sie ihren eigenen Rhythmus leben. Wenn sie geistige Inspiration nutzen. Wenn sie auch mit mentaler Nahrung gut versorgt sind.

Inwieweit leben Sie mit diesen Elementen? Bauen Sie sie in Ihr Leben ein: Je mehr, desto besser. Was wollen Sie wirklich – was sind die Erfolge, die Sie erfolgreich machen? Wie ist Ihr optimaler Pausen-Arbeits-Rhythmus? Wann essen Sie am liebsten? Wie lernen Sie am besten? Wo sitzt die Quelle Ihrer Freude und Begeisterung? Wo können Sie sich Rat und Coaching einholen? Wenn Sie diese fünf Elemente des Lebens berücksichtigen, kommen Sie in Ihre Balance. Wenn Sie in Ihre Balance kommen, erleben Sie den enormen Energieschub der Selbstliebe.

Wer in der Balance lebt, wird nicht krank. Das englische Wort dis-ease für Krankheit beschreibt anschaulich die Verschiebung eines Gleichgewichts. Wenn wir krank sind, sind wir aus der Balance gebracht. Wenn Sie in der Balance leben, nutzt Ihr Immunsystem die freigewordene Energie. Deshalb sprechen wir auch von der heilenden Kraft der Selbstliebe.

Auch wenn Sie sich durch Ihr Arbeitsverhältnis und/oder Ihre Familienverhältnisse eingeschränkt sehen: Jeder kann diese Elemente in seinem Leben nutzen. Sie müssen nur die entsprechenden Spielregeln mit Ihrem Partner und Ihren Kollegen aushandeln.

Übung 63: Mein Nachruf

Eines der schwierigsten Themen, denen wir uns stellen können, ist die Beschäftigung mit unserem eigenen Tod. Dabei heißt es, dass nur die Menschen Angst vor dem Tod haben, die ihr Leben versäumten. Wer in Selbstliebe lebt, dem passiert das nicht. Trotzdem ist das natürlich leichter gesagt als getan. Beschäftigen Sie sich also mit Ihrem Tod. Wie soll man sich an Sie erinnern? Welcher Satz soll die Summe Ihres Lebens sein? Schreiben Sie Ihren persönlichen Nachruf-Satz.

Was Sie in diesem Kapitel gelernt haben

So seltsam das klingen mag, aber Selbstliebe braucht viel Mut. Uns so anzunehmen wie wir sind, ist nicht ganz einfach, nachdem unsere Umwelt uns einimpfte, wie wenig wir wert sind. Es wird auch nicht leichter, wenn uns Werbung und Medien täglich einhämmern: Du bist nicht perfekt. Für Selbstliebe brauchen Sie Mut, Ihre Vergangenheit loszulassen, und Sie brauchen Mut, dem Druck unserer Gesellschaft nicht zu erliegen.

Kapitel 7
SELBSTVERWIRKLICHUNG

Das große Ziel ist erreicht. Müssen wir jetzt nicht alle schweben? Wenigstens ein klein bisschen?

Was ist das Leben? Ein Abenteuer? Eine Reise? In unserer westlichen Konsumgesellschaft ein bequemer Vergnügungspark mit geregelten Arbeitszeiten? Der Überlebenskampf, den nur wenige Generationen vor uns noch Tag für Tag auszufechten hatten, spielt in unserem Alltag kaum mehr eine Rolle. Selbst in Zeiten des Sparzwangs ist das soziale Netz eng genug geknüpft, um nicht nur unser Überleben, sondern auch unsere Bequemlichkeit zu garantieren. Wenn wir also keine Energie mehr in den täglichen Überlebenskampf stecken müssen, wieso fällt uns der Weg zur Selbstverwirklichung dann so schwer?

Wie Sie sehen, ist Selbstverwirklichung Eigeninitiative. Egal, ob wir die Sache körperlich, geistig oder in einer Kombination aus beidem anpacken: Die Verwirklichung steckt im Wörtchen selbst. Deshalb haben wir in diesem Buch viel Wert aufs »Selbst-Erleben« gelegt. Nur so kann Selbstverwirklichung stattfinden.

Wir haben in den letzten Jahrzehnten eine Gesellschaft erschaffen, in der Selbstverwirklichung so leicht wie nie ist – denn wir haben alle Ressourcen ausreichend zu unserer Verfügung. Gleichzeitig haben wir eine Gesellschaft erschaffen, in der Selbstverwirklichung so schwer wie nie ist – denn wir fördern keine Eigeninitative und werden durch Konsum lahm und bequem. In diesem Spannungsfeld hilft Ihnen die Orientierung an Ihrem persönlichen Meister-Wert. Denn am einfachsten ändern Sie Ihr Leben, wenn Sie sich am positiven Veränderungsbewusstsein wie Ihrem Meister-Wert orientieren – und nicht am Leidensdruck.

»Ich habe einen Beruf. Und eine Familie. Da kann ich mich nicht einfach mal selbstverwirklichen«

Die Insel La Palma, eine der sieben Kanarischen Inseln, ist ein wunderbarer Ort. Das ganze Jahr Frühlingstemperaturen, eine üppige Vegetation, nette Leute, entspanntes Leben – ganz klar der ideale Platz zum Aussteigen.

Insgesamt gab es drei Wellen von deutschen Auswanderern auf die Insel. Unter den Ersten waren die Hippies. Sie kamen Anfang der siebziger Jahre, als die Aufbruchsstimmung der 68-er-Bewegung in Deutschland erstarb. Viele von ihnen lebten in einer der zahllosen Höhlen der Insel und versuchten, das Ideal einer alternativen Lebensform zu erschaffen.

 Die zweite Welle kam nach Tschernobyl. Das waren

Menschen, die schon der NATO-Doppelbeschluss in Angst und Schrecken versetzt hatte und denen die Katastrophe um das Atomkraftwerk den Rest gab. Viele Familien mit kleinen Kindern waren darunter. Auf der Insel zogen sie in einfache Häuschen, die in Deutschland nicht mal zur Doppelgarage reichen würden, und lebten hauptsächlich als Selbstversorger.

Die dritte Welle kam Mitte der neunziger Jahre. Das Marketing nennt diese Leute ›die neuen Alten‹: Ältere Menschen, noch rüstig und mit Geld. Viele trieb die Einsicht, dass Deutschland in eine Art Sitzstreik getreten war, in der Zeit des lähmenden Stillstands am Ende der Ära Kohl. In einer sonnigen Umgebung lässt sich der Lebensabend ohnehin viel besser genießen.

Egal, aus welchen Motiven diese unterschiedlichen Menschen sich zur Auswanderung entschlossen hatten, sie alle charakterisieren zwei Wesenszüge: Zum einen der Wille, ihr Leben zu ändern. Zum anderen die Entscheidung, das aber erst zu tun, wenn ein äußerer Druck sie veranlasst. Der amerikanische Mythen-Forscher Joseph Campbell gab diesem Menschen-Typus einen Namen: Er nannte ihn den widerstrebenden Helden.

Die Selbstverwirklichung im Rad der Zeit

Geschichten, Mythen und Märchen sind nichts anderes als die verdichtete Dramaturgie des Lebens. Joseph Campbell untersuchte diese Dramaturgie anhand von abertausenden Beispielen aus allen Kulturen unserer Welt. Seine bahnbrechenden Ergebnisse dokumentierte er 1941 in seiner Psychostudie »Der Heros in tausend Gestalten«.

In diesem Werk geht es vor allem um eines: die Selbstverwirklichung des Menschen, die sich als eine Art Lebensreise beschreiben lässt. Das Modell dieser Reise ist universell, es tritt in jeder Kultur und zur jeder Zeit in Erscheinung. Es hat so viele Ausprägungen, wie es Menschen gibt. Doch in seiner grundlegenden Form bleibt es stets unveränderlich. Campell erkannte diese archaische Form – und beschrieb sie in einem Modell, die er die Reise des Helden nannte.

Auf seinem Weg zur Selbstverwirklichung durchläuft der Held verschiedene Etappen. Es ist eine Reise ins Abenteuer mit Wegstationen, mit Begegnungen, mit Verbündeten, mit Gegnern, mit Konfrontationen, mit Belohnungen, mit Erkenntnissen, mit Zielen.

Die Reise des Helden – der ewige Weg zur Selbstverwirklichung

Ausgangspunkt der Reise ist das, was Joseph Campbell die Alltagswelt nannte. Klar, kennen wir sie: Das ist die Welt, in der wir leben. Mit unserem Beruf, unserer Familie, unserer Freizeitgestaltung. So, wie wir das jahraus, jahrein gewohnt sind.

Manchmal spüren wir aber, dass wir mit diesem Leben nicht mehr so richtig zufrieden sind. Vielleicht ist es Langeweile. Oder Überdruss. Oder einfach das Gefühl, etwas ändern zu müssen. Dieses Gefühl nennt Campbell den

Ruf des Abenteuers. Ein Ruf, der uns lange, lange in den Ohren liegen kann. Der uns einflüstert: Tu was! ohne uns aber zu sagen, was zu tun ist. Der Ruf des Abenteuers kann aber auch von einem einschneidenden Ereignis ausgehen. Die gescheiterte 68er-Revolte. Oder Tschernobyl. Ein Ereignis also, das Leute dazu bringt, ihr Leben zu überdenken. Im Falle des einschneidenden Ereignisses ist der Ruf des Abenteuers besonders laut. Meistens aber ist dieser Ruf alles andere als lautes Geschrei. Eher eine leise Stimme in unserem Kopf.

Wie reagieren wir auf den Ruf? Es gibt nur zwei Möglichkeiten: Wir folgen ihm. Oder wir folgen ihm nicht. Eine Weigerung ist archetypisch für uns Menschen. Bietet sich uns beispielsweise die Möglichkeit, von heute auf morgen unsere Zelte abzubrechen, um unseren Beruf in einem fremden Land auszuüben – zu diesem Ruf des Abenteuers sagen wir sicherlich nicht auf der Stelle, ›ja, toll, klar!‹. Stattdessen wägen wir ab. Vielleicht verweigern wir uns. Und sagen lieber, ›Nein danke!‹.

Den Ruf des Abenteuers vernehmen wir täglich: Denn die Verlockungen unserer Welt sind unendlich. Deshalb haben wir uns mit einem dichten Netz von Regeln umgeben, damit wir die Weigerung, dem Ruf zu folgen, uns selbst gegenüber rational begründen können. Zum Beispiel mit den zehn Geboten: Wir begehren den Partner des Nachbarn – ein Ruf des Abenteuers. Doch weil wir wissen, das gibt Ärger, hilft uns das zehnte Gebot, unsere Weigerung zu begründen. Lassen wir die Finger davon – ist besser so.

Weil es immer mehr Abenteuer gibt, die uns locken,

haben wir auch immer mehr Gesetzesbücher, Normen und Regeln erstellt. Auch unser Konsumverhalten hilft dabei, den Ruf des Abenteuers zu übertönen. Eigentlich lockt uns die Weltreise, doch immer wieder finden wir tausend und ein Argument, uns diesem Ruf des Abenteuers nicht stellen zu müssen. Stattdessen kaufen wir irgendwann von dem Geld, das wir dafür schon auf der Seite hatten, eine Home-Kino-Anlage.

Weshalb sind Menschen so geübt darin, dem Ruf des Abenteuers nicht zu folgen? Weil wir instinktiv wissen, dass unbequeme Zeiten folgen. Wir werden vielleicht Großes erreichen – aber wir können auch jederzeit scheitern. Unsere Angstmotivation ist also höher als unsere Veränderungsmotivation. Deshalb verweigern wir uns. Doch mit jeder Verweigerung bleibt eine kleine innere Verletzung. Ein Kobold, der uns immer wieder zuraunt: »Du hättest es schaffen können, du Schluffi! Aber du hast dich ja nicht getraut.« Dann legen wir wieder eine Schippe Konsum auf, um den Kobold zum Schweigen zu bringen. Dabei wissen wir schon: Gerade diese kleinen Biester geben niemals Ruhe.

In solchen Momenten treffen wir mitunter auf einen besonderen Menschen. Einen, der Rat weiß. Einen, der mit uns seine Erfahrung teilt. Einen, der uns eine Tür zeigt, die wir bisher übersehen haben. In der Mythologie nennt man diese Figur den Mentor. Und manchmal führen die Worte und Taten dieses Menschen dazu, dass wir uns doch noch ins Abenteuer stürzen.

Sich ins Abenteuer zu stürzen heißt, eine neue Welt kennen zu lernen. Stellen Sie sich vor, Sie treten einen Job im Ausland an. Schnell stehen Sie vor Bewährungsproben. Sie müssen die Formen des alltäglichen Zusammenlebens in diesem Land kennen lernen, Freunde finden, Sie brauchen neue Verbündete, Sie machen sich Feinde, Sie begreifen allmählich die Spielregeln dieser anderen Welt. Entscheidend ist, dass wir bei jedem Ruf des Abenteuers, dem wir nachgeben, ein echtes Ziel haben: Den neuen Job. Die Reise um die Welt. Die Eroberung eines Partners. Den Bau eines Hauses. Jeder einzelne Schritt, den wir auf diesem Weg zurücklegen, führt uns auf unser Ziel zu. Er ist mit Hindernissen gepflastert – jeder, der ein Haus baut, kann davon ein Lied singen. Auch diese Hindernisse haben in der Mythologie Campbells einen Namen: Wir sind auf der Straße der Hindernisse angelangt.

Auch hier gibt es widerum nur zwei Möglichkeiten: Wir scheitern an den Hindernissen. Oder wir überwinden sie. An jedem Hindernis, das wir überwinden, wachsen wir. Gewinnen wir an Selbstbewusstsein. Oder anders gesagt: Mit jedem überwundenen Hindernis kommen wir unserer Selbstverwirklichung ein kleines Stückchen näher.

Häufig ist das Erreichen des Ziels mit einer entscheidenden Prüfung verbunden: Nehmen wir als Beispiel einen Sportler mit dem Ziel, die Goldmedaille bei den Olympischen Spielen zu gewinnen. Seine Straße der Hindernisse ist das harte Training, dem er sich unterziehen muss. Jeder Leistungssportler weiß, diese Straße der Hindernisse ist eine Straße des Leidens. Die entscheidende Prüfung ist das Finale vor den Augen der Welt. Hier tritt er gegen andere Sportler an, die sich ihrerseits auf einer Reise des Helden befinden. In dieser dramatischen Ausnahmesituation kann nur einer gewinnen. Alle anderen müssen scheitern. Für sie ist die Reise des Helden an dieser Stelle beendet. Für den Sieger dagegen geht sie weiter.

Da Menschen nicht gerne scheitern, haben sie sich auch hier ein Sicherheitsnetz installiert. In diesem Falle ist es der olympische Gedanke: Dabei sein ist alles. Er wirkt aber nicht, wenn das Ziel des Sportler ist, die Goldmedaille zu gewinnen. Ob wir also scheitern oder nicht, hängt einzig und allein von unserem gesteckten Ziel ab. Deshalb müssen wir es immer an unseren tatsächlichen Fähigkeiten ausrichten.

Der Sieger in einer entscheidenden Prüfung erhält eine Belohnung. Eine Goldmedaille, eine Auszeichnung, eine Gratifikation, das Eckbüro, einen neuen Partner, das neue Haus. Für viele von uns ist damit das Abenteuer beendet. Haben wir nicht unser Ziel erreicht? Das jedoch ist einer der großen Irrtümer der Menschheit. Denn mit dem Erreichen unseres Ziels läutet es erst zur Halbzeit im Spiel um die Selbstverwirklichung.

Was ist Selbstverwirklichung? Obwohl in dem Wort das Sätzchen »ich verwirkliche mich selbst« steckt, geht es um viel mehr als das alleinige Erreichen unserer eigenen Ziele. Es geht um das Wohl der Allgemeinheit. Wie ist das zu verstehen? Wenn wir uns neue Ziele stecken und diese auch erreichen, ergeben sich daraus Konsequenzen. Bauen wir das Haus nur für uns oder auch für unsere Familie? Bringt uns der neue Job nicht hohe Verantwortung für mehr Mitarbeiter? Und mit unserem neuen Partner hat die Zeit des Lebens ohne Kompromisse ohnehin ein Ende gefunden. Anders gesagt: Das Ziel, das wir erreichen, ergibt nur dann Sinn, wenn wir es zum Wohle anderer einsetzen. Und nur das führt uns zur Selbstverwirklichung.

Deshalb geht die Reise auch nach Erreichen des Zieles weiter. Wie der erste Teil hat sie ihre ganz eigenen archetypischen Stationen. So haben wir alle das Bedürfnis, nach einer Reise etwas mit nach Hause zu bringen. Ein Geschenk. Ein paar Anekdoten. Oder, um im Beispiel zu bleiben, ein Elixier. Denn das Ziel, das wir soeben erreichten, soll nicht nur uns nützlich sein, sondern auch der Gemeinschaft. Gelingt uns das, gelingt uns Selbstverwirklichung. Denken wir nur an uns, gelingt sie uns nicht.

Nun kann passieren, dass die Gemeinschaft unser Elixier nicht will. Muhammad Ali, den viele nicht nur für einen der größten Sportler unserer Zeit halten, sondern auch für einen beeindruckenden Botschafter der Menschlichkeit, erzählt dazu eine anschauliche Geschichte.

Es war im Jahr 1960. Ali hatte eben als einer der jüngsten Goldmedaillen-Gewinner aller Zeiten das Edelmetall in seine Heimatstadt St. Louis zurückgebracht. Ein typischer zurückkehrender Held, voller Stolz auf das Elixier, das er heimbrachte. Das war zu einer Zeit, als schwere Rassen-Unruhen das Land heimsuchten und Schwarze die Lokale der Weißen nicht betreten durften. Der frischgebackene Goldmedaillen-Besitzer Ali jedoch marschierte in eine Milchbar für Weiße und wurde mit Schimpf und Schande hinausgeworfen. Er hatte tatsächlich gedacht, mit seiner Medaille die Kluft zwischen Weiß und Schwarz verkleinern zu können, weil er doch glaubte, diese Medaille für alle Menschen in St. Louis gewonnen zu haben. Doch die weiße Mehrheit wollte das Elixier eines schwarzen Helden nicht. So nahm Muhammad Ali die Gold-Medaille, für die er so hart gekämpft hatte, und warf sie in die Fluten des Missouri.

Später sagte er: Ich war jung und hatte trotzdem nicht die Kraft, für Gerechtigkeit zu kämpfen. Das tat er erst später in seinem Leben. Durch einen erneuten Ruf des Abenteuers wurde er zum Symbol der Völkerverständigung. Schon damals auf der Brücke über den Missouri vernahm er den Ruf dieses neuen Abenteuers – doch er verweigerte sich. Weil er fühlte, dass er dieser Herausforderung noch nicht gewachsen war.

Das Geheimnis der Selbstverwirklichung ist also, dass nach jedem bestandenen Abenteuer ein neuer Ruf erfolgt. In der Lebensspanne, die wir zur Verfügung haben, geht es darum, uns immer weiter zu entwickeln. Ziele zu erreichen, der Gemeinschaft zu dienen, nicht zu verharren, sondern weiterzugehen.

Selbstverwirklichung ist damit keine Punktlandung. Selbstverwirklichung ist ein dynamischer Prozess.

Unser Alltag – die größte Herausforderung

Der Ruf des Abenteuers – das klingt nach der ganz großen Nummer. Ist es ja manchmal auch. Was aber passiert, solange wir uns an dem Ort befinden, den Joseph Cambell die Alltagswelt nannte? Also in der Welt, in der wir leben, mit unseren Berufen, unseren Familien, unserer Art der

Freizeitgestaltung. Ist auch in dieser Zeit Selbstverwirklichung möglich? Natürlich. Wenn wir verstehen, dass jedes Ende immer ein Anfang ist, hört der Prozess der Selbstverwirklichung nie auf. Auch nicht im sogenannten Alltag.

Eine Strategie zur Selbstverwirklichung im Alltag

Begibt sich der Held auf seine Reise, beginnt er selbst zu wirken. Viele Menschen argumentieren, dass sie nicht selbst wirken und etwas bewirken können, weil sie im Netz aus Beruf und Familie gefangen sind. Gegen diese Fremdbestimmung hilft die Strategie ›Freiräume schaffen‹.

Nehmen Sie Ihren Beruf: Selbst wenn Ihre Aufgaben im großen Maße vorbestimmt sind, finden Sie immer zehn Minuten am Tag, an denen Sie selber wirken können. Tun Sie es. Machen Sie das gut – und Sie werden es gut machen, weil Sie selbstmotiviert sind – werden Sie dafür langfristig anerkannt. Denn Leistung setzt sich immer durch. In diesem Fall erweitern Sie die zehn Minuten auf 20 Minuten. Die 20 Minuten auf 30 Minuten. Die 30 Minuten auf eine Stunde. Und ohne dass Sie es bemerken, haben Sie sich auf die Reise des Helden begeben. Sie gaben dem Ruf des Abenteuers nach, indem Sie sich zehn Minuten lang die Möglichkeit für selbstbestimmte Arbeit schufen. Wenn Sie diese Reise komplett durchlaufen, wird Ihr Leben danach ein anderes sein.

In meinen Seminaren werde ich an diesem Punkt häufig mit der Frage konfrontiert, wie kann ein Mensch am Fließband zur Selbstverwirklichung gelangen? Natürlich liegt die Antwort darin, ob dieser Mensch mit seiner Arbeit primär zufrieden ist oder nicht. Nun hatte ich selbst den Fall eines Arbeiters, der an einem Fließband in der optischen Industrie arbeitete und nicht zufrieden war. Im Gespräch merkte ich, dass er sehr gut zuhören konnte und aus dem Gehörten seine eigenen Schlüsse zog. Ich riet ihm, diese Kompetenz nach und nach auszubauen. Das tat er, und immer mehr Kollegen kamen zu ihm mit ihren Anliegen. Am Ende dieses Prozesses verbrachte er mehr und mehr Zeit mit seinen Selbstbestimmungs-Kompetenzen und wurde in den Betriebsrat gewählt.

Der Ruf des Abenteuers führt zu Ihrer Berufung

Es gibt keinen Menschen, der sich nicht die zeitlosen Fragen stellt, die sämtliche Mythen und Geschichten unserer Welt beherrschen: Wer bin ich? Wo komme ich her? Was geschieht, wenn ich sterbe? Wo gehe ich hin? Was ist der Sinn von allem? Jeder Ruf des Abenteuers – wenn wir ihn zulassen – fügt ein kleines Mosaiksteinchen zu dem Bild hinzu, das wir am Ende unseres Lebens sehen. Jedes abgelehnte Abenteuer sorgt dafür, dass an diesem Bild am Ende unseres Lebens etwas fehlt. Es ist also fast unumgänglich, dem Ruf zu folgen, um unsere Berufung zu erkennen. Unsere Berufung ist unser Platz in dieser Welt.

Und selbst wenn wir glauben, nun haben wir alles erreicht – können wir da wirklich sicher sein?

Das Gleichnis vom vollen Krug

Es war einmal ein Professor, der wollte seinen Schülern zeigen, wie viel Leben in ihr Leben passt. Er nahm einen Krug und füllte ihn mit großen Steinen. »Ist er voll?«, fragte er. »Klar«, antworteten die Schüler. Da nahm der Professor noch ein paar kleine Steine, steckte sie zwischen die Großen, und fragte: »Ist er jetzt voll?«. »Randvoll«, sagten die Schüler. Da nahm der Professor einen Eimer Sand und kippte ihn in den Krug. Die Schüler staunten. Es war eine ganze Menge Sand, die noch hineinpasste. »Voll?«, fragte der Professor. »Bis zum Platzen«, antworteten die Schüler. Der Professor lachte, nahm einen Becher Wasser und goss ihn in den Krug. »Und nun?«, fragte er. Da gaben die Schüler keine Antwort mehr.

Übung 64: Mein Krug

Listen Sie auf:

Was sind die großen Steine Ihres Lebens?
Was sind die mittleren und kleinen Steine Ihres Lebens?
Was ist der Sand Ihres Lebens?
Was ist das Wasser Ihres Lebens?

Übung 65: Motivation durch Spaß

Nehmen Sie Ihre persönliche Spaß-Liste aus dem letzten Kapitel zur Hand. Arbeiten Sie Ihre drei wichtigsten Spaßfaktoren heraus. Wie passen sie in den Krug Ihres Lebens?

Übung 66: Mit einem Lächeln durch den Tag

Ihre Spaßfaktoren werden sich immer wieder als Ihre stärksten positiven Antreiber herausstellen. Nutzen Sie diese Kraft. Eine Kraft, die Sie aber immer wieder ganz bewusst zulassen müssen. Nehmen Sie sich vor, den morgigen Tag mit einem Lächeln auf dem Gesicht zu verbringen. Egal, was geschieht. Ziehen Sie am Abend Bilanz, was sich dadurch für Sie geändert hat.

Übung 67: An einem Montag in zehn Jahren

Montage sind immer Montage, auch in zehn Jahren. Doch jetzt haben Sie die Gelegenheit, Ihren idealen Montag zu gestalten. Beamen Sie sich zehn Jahre in die Zukunft. Schreiben Sie sich das Drehbuch Ihres idealen Montags, und schreiben Sie es im Präsens. Achten Sie darauf, dass darin Ihre drei Spaßfaktoren vorkommen.

Ein kurzes Mantra zur Selbstverwirklichung

In der Selbstverwirklichung wirke ich selbst, weil es mir Spaß macht. Dieser Spaß setzt neue Energie frei. Ich brauche keine Fremd-Energie mehr.

Am meisten Spaß macht Spaß

Obwohl wir in der sogenannten Spaßgesellschaft leben und dabei eine ganze Generation Menschen schon mal als Spaßgeneration abgestempelt wird, wissen die meisten nicht, was ihnen wirklich Spaß macht. Uns allen werden von außen Spaßfaktoren suggeriert, die nichts weiter sind als eine erneute Ablenkung von unserem eigenen Ruf des Abenteuers. Die hohe Erwartungshaltung, die wir an diese Ablenkungen knüpfen, ist ein weiterer Spaßkiller. Dabei liegt der Spaß in uns.

Was uns wirklich Spaß macht, ist das Unvorhergesehene im Leben, wo wir selbst wirken können. Denn nur in diesen Situationen schöpfen wir unsere Potentiale ganz aus. In diesen Situationen agieren wir selbstverwirklicht, spüren wir die direkte Wirkungskraft unserer Handlungen. Wenn Sie Ihr Leben verplanen, blockieren Sie Ihren Spaß, blockieren Sie Ihre Potentiale, blockieren Sie Ihre Möglichkeit, sich selbst zu verwirklichen.

Deshalb noch einmal: Spiel-Regeln und ihre Kommunikation

Das Unvorhergesehene im Leben – das ist unser Lebensspiel. Nur im Spiel und nicht im Kampf koppeln wir beide Gehirnhälften – die rationale linke und die emotionale rechte – zusammen. Den daraus erfolgenden Energie- und Kreativitätsschub haben Sie sicherlich selbst schon erlebt. Da es also so wichtig ist, ins Spiel zu kommen, sollten Sie sich immer wieder fragen: Was brauche ich alles für mein Spiel?

Nehmen wir an, Sie spielen Tennis. Dazu brauchen Sie: Einen Spielpartner. Die Ausrüstung. Einen Tennisplatz. Zeit, Wissen und Motivation. Die Chance auf Gewinn. Eine Herausforderung. Und Regeln. Diese müssen klar, einfach, nachvollziehbar, fair und von beiden Spielpartnern akzeptiert sein. Wie Sie sehen, ist das eine ganze Menge, nur um Tennis zu spielen. Kein Wunder, dass in unseren Lebens-Spielen häufig die eine oder andere Zutat fehlt.

Übung 68: Meine Spiele auf dem Prüfstand

Testen Sie Ihre Lebens-Spiele. Finden Sie heraus, ob Sie schon alles haben, was ein gutes Spiel garantiert. Überprüfen Sie Ihr Lebenspartner-Spiel. Ihre Berufs-Spiele. Ihre Freizeit-Spiele. Ihre Liebes- und Sexspiele. Prüfen Sie, was fehlt. Was hat Ihr Spielpartner nicht? Was haben Sie nicht? Wie können Sie zusammenwirken, um beide ins Spiel zu kommen?

Übung 69: Ich spreche meine Wünsche aus

Sie müssen Ihren Spiele-Partnern mitteilen, wie Sie sich das Spiel vorstellen. Immer und immer wieder. Dazu müssen Sie Ihre Wünsche offen legen. Wer Geheimnisse vor seinen Spielpartnern hat, sabotiert das Spiel und ist ganz schnell wieder fremdbestimmt.

Halbwertszeit und Verfallsdatum

So wie wir von einem Abenteuer ins nächste gehen – wenn wir den Rufen folgen – ist unsere Selbstverwirklichung ein dynamischer Prozess. Was Ihnen heute Spaß macht, macht Ihnen morgen vielleicht keinen mehr. Deshalb sollten Sie alle Änderungen Ihrer Gefühlswelt an Ihre Spiele-Partner weitergeben. Flexibilität ist wichtig, aber sie will kommuniziert sein. Andernfalls stoßen Sie Ihre Umwelt vor den Kopf – bis diese keine Lust mehr hat, mit Ihnen zu spielen.

Übung 70: Wie viel Selbstverwirklichung ist möglich?

Stellen Sie sich Ihr Potential an Selbstverwirklichung als eine Flüssigkeit in einer Art Tank vor. Ist dieser Tank bei Ihnen leer, halbvoll oder ganz voll? Geben Sie ihm Punkte zwischen 0 und 100. 0 Punkte bedeutet leer, 100 Punkte bedeutet voll.

Ihre Punktezahl zeigt Ihnen, wo Sie im Moment stehen. Die Wahrheit ist: Ihr Leben hat genau so viel Selbstverwirklichung, wie Sie sich selber zugestehen. Sie tragen dabei alles schon in sich – was Sie tun müssen ist, dieses Potential frei zu lassen.

Als Michelangelo gefragt wurde, wie er es schaffe, aus einem derben Felsbrocken wunderbare Figuren herauszuarbeiten, sagte er: Ist doch ganz einfach. Die Figuren sind im Felsen drin. Ich hau' nur weg, was nicht dazugehört.

Die Bedürfnispyramide nach Abraham Maslow

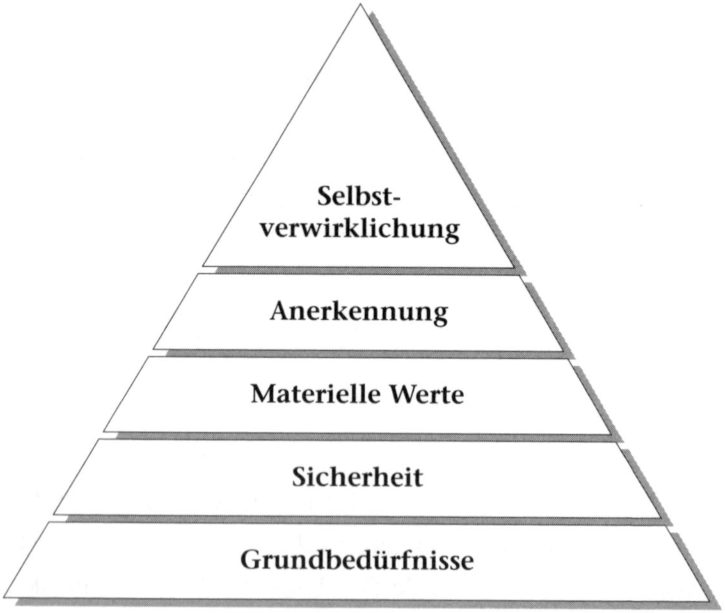

Was Abraham Harold Maslows Pyramide ausdrückt, sind die definierten Bedürfnisse aller Menschen. Die unterste und breiteste Stufe nehmen unsere Grundbedürfnisse ein: Essen, Trinken, Schlafen, Überleben. Und das exakt abgestuft: Wir können zwar längere Zeit ohne Nahrungszufuhr überleben, aber nur wenige Tage ohne Wasser. Wir können einige Tage ohne Wasser überleben, aber nur wenige Minuten ohne Sauerstoff.

Die zweite Stufe ist die Sicherheitsstufe. Dazu gehören unser Bedürfnis nach Recht, Ordnung und Abgrenzung.

Auf der dritten Stufe finden wir unser Wertgefühl. Dazu gehören materielle Werte wie Geld oder Grundbesitz.

Die vierte Stufe umfasst unser Bedürfnis nach sozialer Anerkennung, nach Liebe, Ruhm, Aufmerksamkeit und Respekt.

Die fünfte und in der Pyramide kleinste Stufe wird von unserem Bedürfnis nach Selbstverwirklichung eingenommen.

Nach Maslow leben nur zwei Prozent der gesamten Weltbevölkerung in der fünften Stufe. Nur in dieser wirkt der Mensch selbst, unter der Prämisse »all I have done, I have just done for fun«.

Maslow gewann seine Erkenntnisse unter anderem aus Interviews und der Analyse von Menschen, die sich selbstverwirklicht mit den »großen Fragen ihrer Zeit« beschäftigten. Dazu gehörten unter anderem Abraham Lincoln, Thomas Jefferson, Albert Einstein, Eleanor Roosevelt, Albert Schweitzer und Alduous Huxley. Aus dieser Analyse entwickelte Maslow Qualitäten, die charakteristisch für selbstverwirklichte Menschen sind:

Selbstverwirklichte Menschen

- verfügen über eine bessere Wahrnehmung von Realität und leben in einer bequemeren Beziehung zur ihr
- akzeptieren sich selbst, auch ihre Schwächen
- ändern diese Schwächen, wann immer es möglich ist
- akzeptieren andere
- lieben die Natur
- sind spontan, einfach und natürlich
- sind lösungsorientiert
- sind gerne allein
- pflegen wenige, dafür tiefe interpersonelle Beziehungen
- sind willensstark
- handeln aktiv
- zeigen stets eine unverbrauchte Wertschätzung
- verfügen über mystische Erfahrungen
- sind demokratisch
- unterscheiden zwischen Mittel und Zweck sowie Gut und Böse
- sind humorvoll
- sind schöpferisch, kreativ und originell
- arbeiten nicht für äußere Anerkennung

Übung 71: Meine Defizit-Bedürfnisse

Wie gesagt: Selbstverwirklichte Menschen akzeptieren ihre Schwächen – und ändern sie, wann immer es möglich ist. Deshalb dürfen Sie ohne weiteres – auch wenn Sie das Buch fast zur Gänze durchgearbeitet haben – Ihre

Noch-Defizite akzeptieren. Hauptsache ist, Sie erkennen diese Defizite und arbeiten an ihnen. Vergleichen Sie sich mit der Liste der Maslow'schen Charakteristiken selbstverwirklichter Menschen. Wo empfinden Sie bei sich noch Defizite? Auf welche Weise wollen Sie diesen entgegenwirken?

Schicksal und Zufall

Den Maslow'schen Charakteristiken fügen wir eine weitere hinzu: Die beiden Wörter »Schicksal« und »Zufall« kommen im Wortschatz selbstverwirklichter Menschen nicht vor. Nehmen wir ein Beispiel: Werfen Sie einen Stein in einen See, breiten sich Wellenringe aus und laufen in konzentrischer Richtung davon. Sie sind auch dann noch in Bewegung, wenn die Ursache – nämlich der Stein – schon längst auf dem Grund liegt. Auch die Folgen unserer Handlungen laufen immer weiter, bilden Verkettungen und kehren mitunter zu uns zurück. Das, was wir dann Schicksal nennen, gehorcht im Grunde genommen unseren individuellen Eigenschaften: unseren Steinwürfen ins Wasser.

Wie unterschiedlich sich etwas auswirken kann, wird besonders bei kollektiven Schicksalsschlägen deutlich. Positive Menschen, die nicht von außen Hilfe erwarten und stattdessen ihre eigenen Kräfte bündeln, überleben solche Situationen häufiger als die, die sich aufgeben. Davon erzählt das Märchen von den beiden Fröschen:

Plim und Plum auf Wanderschaft

Die beiden Frösche Plim und Plum machten eines Tages einen Ausflug. Sie kamen zu einem Bauernhaus. Vor der Tür standen zwei Kannen mit frischer Milch. »Nix wie rein!«, rief Plim. »Saufen bis der Notarzt kommt!«, rief Plum. Gesagt, getan. Man hörte platsch, platsch und dann nur noch lautes Schlürfen. Bis Plim rief: »Ich bin knallvoll«, und Plum anwortete »Mir geht's nicht anders. Lass uns rausklettern.« Doch welch ein Schreck, als sie feststellten, sie hatten so viel Milch getrunken, dass sich der Rand der Kanne zu weit von ihnen entfernt hatte. Wenn sie nicht jämmerlich ersaufen wollten, blieb ihnen nichts anderes übrig als weiterzutrinken. Gesagt, getan. »Ich kann nicht mehr«, rief Plim nach einer Weile. »Ich auch nicht!«, antwortete Plum. Sie merkten, wie sie langsam versanken. Eine Weile kämpften sie, dann rief Plim. »Ich geb's auf. Ade, schnöde Welt«. Und mit einem letzten Blubb versank er in der Milch. »Nein!«, schrie Plum, »nicht!« Wie wild strampelte er mit seinen Beinchen.

Als sich am nächsten Morgen die Sonne die Schlafläuse aus den Augen rieb, sah sie ein Bauernhaus. Davor standen zwei Milchkannen. In der einen schwamm ein toter Frosch in Milch. Die andere aber war halbvoll mit Butter. Darauf saß Plum. Er rülpste. Und sprang in elegantem Bogen zurück in die Freiheit.

Obwohl es uns nicht bewusst wird, prägen sich alle unsere Gedanken wie ein Bild in unseren Geist ein. Daher können wir mit starken Visualisierungen Befehle an unser

Unterbewusstsein senden und so unsere Zukunft bestimmen. Anders gesagt, wenn Sie ein traumhaftes Leben führen wollen, träumen Sie davon, dass Sie es schon führen. Unser Unterbewusstsein ist eine Art »Traummaschine«, die Wünsche verwirklicht.

Weshalb das nicht immer klappt, werden Sie fragen. Unser Unterbewusstsein ist auch ein sehr feiner Filter, um Wünsche, die wir zwar äußern, aber nicht wirklich haben, auszusondieren.

Aus diesem Grund müssen wir uns hunderprozentig darüber klar werden, was wir in unserem Leben tatsächlich erreichen wollen. Goalmappings – die Landkarten des Lebens – sind ein optimales Mittel dafür.

Übung 72: Die Landkarte Ihres Lebens

- Nehmen Sie ein leeres Blatt Papier. Schreiben Sie schnell alle Ziele auf, von denen Sie träumen. Von finanziellen Zielen über emotionale Ziele bis zu spirituellen Zielen. Wählen Sie nun die fünf wichtigsten aus. Stellen Sie sich die Frage: »An der Erfüllung welchen Zieles hätte ich am meisten Freude?« Das ist Ihr Hauptziel.
- Nehmen Sie ein großes Blatt Papier und malen Sie ein Bild zu Ihrem Hauptziel in die Mitte. Es muss nicht nach Rembrandt aussehen, sollte aber möglichst bunt sein. Lassen Sie einfach Ihren Gefühlen freien Lauf. Ihre vier weiteren Ziele malen Sie ebenfalls als Bilder, wie die Ziffern einer Uhr rund um Ihr Hauptziel.

- Die Magie der Selbstverpflichtung: Wägen Sie realistisch ab, wann Sie das Ziel erreichen können. Schreiben Sie die Daten zu den Zielen. Notieren Sie das heutige Datum. Die Zeit dazwischen ist Ihre relevante Zeitspanne.
- Überlegen Sie, wessen Hilfe Sie benötigen und schreiben Sie die Namen der Personen und Organisationen zu Ihren Zielen.
- Zu guter Letzt folgt Ihr Aktionsplan. Welche Schritte müssen Sie unternehmen? Was müssen Sie sich zuvor aneignen? Womit können Sie gleich heute anfangen? Notieren Sie den Schritt, den Sie als ersten gehen werden.
- Sorgen Sie dafür, dass Sie Ihre Landkarte des Lebens so häufig wie möglich vor Augen haben.

Übung 73: Meine Lebensregel

Diese Lebensregel soll Ihr tägliches Mantra werden, wenn Sie nun bald das Buch aus der Hand legen. Wie gestalten Sie Ihr künftiges Leben, um über Selbsterkenntnis, Selbstwertgefühl, Selbstverantwortung, Selbstvertrauen, Selbstmotivation und Selbstliebe immer wieder zur Selbstverwirklichung zu gelangen? Schreiben Sie Ihr Mantra im Präsens und halten Sie es möglichst kurz. Benutzen Sie es täglich.

Die Lebensregel, die ich selbst nutze, lautet: Mein größter Feind ist mein größter Lehrmeister.

Was Sie in diesem Kapitel gelernt haben

Damit sind Sie am Ende des Buches angekommen. Sicherlich haben Sie bemerkt, dass Sie auch mit dem Durcharbeiten der sieben Kapitel eine Reise des Helden unternommen haben. Der Ruf des Abenteuers erfolgte, weil Sie mehr über sich erfahren wollten. Vielleicht waren Sie auch widerstrebend – schließlich sind nicht alle unserer Übungen leicht zu bewältigen. Möglicherweise haben Sie neue Freunde und neue Gegner kennengelernt – häufig ging es darum, Ihr Lebensumfeld zu analysieren. Sie haben ein Elixier erhalten: Ihre Hauptspaßfaktoren, Ihren Meister-Wert, Ihre Landkarte des Lebens, Ihre Lebensregel. Und Möglichkeiten, sich immer wieder selbst zu überprüfen:

- Wie steht es um meine Lust am Erschaffen?
- Reduziere ich meinen täglichen Konsum?
- Arbeite ich mit Spaß und innerer Freude?
- Handle ich Spielregeln aus und halte mich an sie?
- Teile ich meine Wünsche mit?
- Setze ich meine Visionen zum Wohle aller ein?
- Folge ich dem Ruf des Abenteuers?

NACHWORT

Ich gratuliere Ihnen! Dieses Buch durchzuarbeiten war kein Kinderspiel – aber Sie haben es geschafft. Durch Erleben, Üben und Lernen haben Sie Ihrem Leben neue Impulse gegeben. Mehr noch: Sie können in Zukunft Ihr Potential weitaus besser ausschöpfen. Welche Erfahrungen Sie dabei machen, interessiert mich sehr. Deshalb freue ich mich, wenn Sie mir davon erzählen. Schreiben Sie einfach an seminar@gopalan.de

Für Ihr weiteres Leben wünsche ich Ihnen das Allerbeste: Spannende Rufe des Abenteuers mit vielen erfolgreichen Reisen des Helden. Sie haben es selbst in der Hand, wie viel Selbstverwirklichung Sie sich dabei gönnen.

Anregungen

Mein persönlicher Galileo-Galilei-Monat: 30 Ausbrüche aus dem Alltag

Während der Übung 9 »Grenzen überschreiten« in Kapitel 1 dürfen Sie ganz bewusst aus Ihrem Alltagstrott ausbrechen und über den Tellerrand hinaussehen. Dabei gewinnen Sie Energie und ändern Ihre Sichtweise auf die Umwelt. Hier finden Sie eine Auswahl von dreißig persönlichen Grenzüberschreitungen von Teilnehmern diverser Susanne-Gopalan-Seminare. Lassen Sie sich anregen – aber entscheiden Sie sich am Ende für Ihre eigenen Abenteuer.

- Singen auf der Bordsteinkante
- Spontan eine humorvolle Rede halten
- Jeden Tag ein wenig Geld verschenken
- Einen Strip hinlegen
- Ein Bild von mir selbst malen
- Eine Nacht durchmachen
- Von meiner großen Liebe – und größten Enttäuschung – erzählen
- Zum Beichten gehen

- Kein Fernsehen schauen – stattdessen Radio hören
- Ein Märchen schreiben und meinen Kindern vorlesen
- Meinen größten Feind um einen Gefallen bitten
- Morgens keine Zeitung lesen
- Trotz Kälte mit wenig Kleidung aus dem Haus gehen
- Ein Fahrertraining absolvieren
- Einen Baum besteigen
- Einen Tag ohne Handy verbringen
- Eine Intensivstation besuchen
- Bei der sozialen Tafel aushelfen
- Einen Tag keinen Alkohol trinken
- Schweigen
- Meine alte Gitarre auspacken und spielen
- Allein in den dunklen Keller gehen
- Auf einen Berg steigen
- Endlich mal ganz laut schreien
- Einen unbekannten Passanten um Geld bitten
- Einen Barfuß-Park besuchen
- In eine Messe gehen
- Einen Menschen beim Sterben begleiten
- Mir selbst ein Essen kochen
- Vor meinen Kollegen ein Rad schlagen

Training und Coaching mit Susanne F. Gopalan

move – Seminar

move bringt Klarheit ...

über sich selbst, die aktuelle Situation, die eigenen Ziele und Wünsche. Mit den Sieben Führungsprinzipien lernen Sie Ihr Leben kreativ zu gestalten und zum Positiven zu verändern.

energetic move – Seminar

energetic move wirkt ganzheitlich ...

und schafft körperliche, seelische und soziale Gesundheit. Mit gezieltem Ressourcenmanagement erfahren Sie, wie ein selbstbewusster Umgang mit dem eigenen Körper Grenzen sprengt.

sense-ability-move Seminar

sense-ability-move bringt Gespür ...

für Menschen und Situationen. Erfahren Sie wie Führung und Ver-Führung durch Wort und Bild Ihr Führungspotenzial unterstützen.

Coaching mit der Gopalan-Strategie

Coaching mit der Gopalan-Strategie bringt Lebensqualität ...

für Menschen, die in schwierigen beruflichen und persönlichen Situationen selbstverwirklicht handeln wollen. Im persönlichen und bedarfsorientierten Coaching wird Ihr Erfolg nachhaltig gefördert.

Tagesaktuelle Informationen zu allen offenen Seminaren von Susanne F. Gopalan finden Sie unter www.gopalan.de

1. Auflage 2006

Umschlaggestaltung: HildenDesign, München
Gesetzt aus der Stone Serif
Gesamtherstellung: Fuldaer Verlagsanstalt, Fulda
Printed in Germany
ISBN-10: 3-86612-101-6
ISBN-13: 978-3-86612-101-0

Gudrun Sonnenberg

Kollege Ich

Die Kunst allein zu arbeiten

224 Seiten. Gebunden.
€ 18,- | sFr 32,–
ISBN 3-86612-065-6

Immer mehr Menschen müssen oder wollen allein arbeiten. Sind die rechtlichen und finanziellen Fragen gelöst, ist es aber noch lange nicht geschafft. Auch die Hürden der Motivation, Disziplin und Einsamkeit wollen genommen sein. Dieses erste umfassende Praxisbuch zeigt, wie Alleinarbeitende den Alltag optimal gestalten können. Man sieht, dass man mit seinen Ängsten und Problemen nicht allein da steht und findet hilfreiche Tipps, wie die auftretenden Schwierigkeiten zu bewältigen sind. Mit zahlreichen Internetadressen sowie Literaturhinweisen zum Thema.

»Nützlich für alle, die Aufmunterung brauchen – oder sich aufs Alleinarbeiten vorbereiten.« *Brigitte*

Pendo Verlag GmbH & Co. KG
Postfach 401540 | D-80715 München
Fon +49 (0)89 - 7 00 76 88-0
Fax +49 (0)89 - 7 00 76 88-9
www.pendo.de | www.pendo.ch

»Verena Steiners Buch ist ein Augenöffner.« *Bilanz*

Verena Steiner

Energiekompetenz

Eine Anleitung für Vielbeschäftigte, für Kopfarbeit und Management

288 Seiten. Broschiert.
€ 19,90 | sFr 38,–
ISBN 3-86612-030-3

Die Anforderungen im Beruf und im Privaten steigen ständig, die allgemeine Hektik nimmt zu, der moderne Mensch verzettelt sich und verschleißt seine Kräfte. Das nötige Wissen um einen kompetenten Umgang mit unserer Energie fehlt. Was zehrt an unserer Energie? Wie beeinflusst der Wochenrhythmus die Leistungsfähigkeit? Und: Wo kann man Energie einsparen und wie neue Energie gewinnen? Verena Steiner zeigt in ihrem Buch, wie es durch einen bewussten Umgang mit der eigenen Energie gelingt, produktiver und kreativer zu arbeiten und so Anspannung und Stress wirkungsvoll zu reduzieren.

»Ein in dieser Kompaktheit bisher nicht existentes Arbeitsbuch.« *Neue Zürcher Zeitung*

pendo

Pendo Verlag GmbH & Co. KG
Postfach 401540 | D-80715 München
Fon +49 (0)89 - 7 00 76 88-0
Fax +49 (0)89 - 7 00 76 88-9
www.pendo.de | www.pendo.ch

Maja Storch

Das Geheimnis kluger Entscheidungen

Von somatischen Markern, Bauchgefühl und Überzeugungskraft

128 Seiten. Gebunden.
€ 14,90 | sFr 29,90
ISBN 3-86612-033-8

Wer gut Entscheidungen trifft, hat mehr vom Leben. Und das wichtigste Hilfsmittel dazu ist der eigene Körper. Denn um kluge Entscheidungen im Alltag und im Beruf zu fällen, braucht es mehr als einen klaren Kopf. Auch unsere Erfahrungen und Emotionen sprechen ein wichtiges Wort mit. Die Erfolgsautorin Maja Storch zeigt auf leicht verständliche und humorvolle Art, wie man diese Einsichten umsetzen kann. Ein unverzichtbares Buch für alle, die im Beruf und im Privatleben mit ihren Entscheidungen gut leben wollen.

»Das Lesen macht Lust auf Entscheidungen.«
Psychologie heute

Pendo Verlag GmbH & Co. KG
Postfach 401540 | D-80715 München
Fon +49 (0)89 - 7 00 76 88-0
Fax +49 (0)89 - 7 00 76 88-9
www.pendo.de | www.pendo.ch